DES SEIGNEURS DE LA PLAINE
A L'HOTEL DE MONDEZ

ŒUVRES DE MAURICE DRUON

AUX ÉDITIONS JULLIARD

Romans contemporains

LES GRANDES FAMILLES
I — Les Grandes Familles (Prix Goncourt).
II — La Chute des Corps
III — Rendez-vous aux Enfers

LA DERNIÈRE BRIGADE
LA VOLUPTÉ D'ÊTRE

Nouvelles

DES SEIGNEURS DE LA PLAINE A L'HOTEL DE MONDEZ

Essais

LETTRES D'UN EUROPÉEN
REMARQUES

Théâtre

MÉGARÉE

*

AUX ÉDITIONS DEL DUCA

Romans historiques

LES ROIS MAUDITS
I — Le Roi de Fer
II — La Reine Étranglée
III — Les Poisons de la Couronne
IV — La Loi des Mâles
V — La Louve de France
VI — Le Lis et le Lion

ALEXANDRE LE DIEU

Récit

TISTOU LES POUCES VERTS

MAURICE DRUON

DES
SEIGNEURS DE LA PLAINE
A
L'HOTEL DE MONDEZ

Nouvelles

RENÉ JULLIARD
30 et 34 rue de l'Université
PARIS

IL A ÉTÉ TIRÉ DE
CET OUVRAGE SUR ALFA
DES PAPETERIES D'AVIGNON
CINQUANTE EXEMPLAIRES
NUMÉROTÉS DE 1 A 50
PLUS QUELQUES EXEMPLAIRES
D'AUTEUR

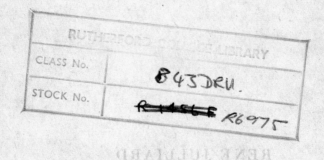
© 1962 by René Julliard
PRINTED IN FRANCE

I

DES SEIGNEURS DE LA PLAINE

LE SONNEUR DE BIEN-ALLER

A René Julliard.

I

LA chasse rentrait au pas. Une pluie fine d'octobre, patiente, brumeuse, mêlait au parfum âcre des chevaux mouillés les senteurs végétales du soir et de la forêt.

Un cavalier, en tête, allait seul. Sous l'étoffe trempée de son habit rouge, les épaules saillaient, osseuses, un peu tombantes. Une trompe de chasse lui barrait le torse.

Du pommeau de son fouet, il caressa l'encolure ruisselante de sa monture. Celle-ci, une haute jument baie, remua légèrement les oreilles, et continua de choisir son chemin entre les flaques.

— Va, Dame-de-Cœur, va, ma belle, dit à mi-voix le cavalier.

Puis, entre ses lèvres minces, il se mit à sonner le bien-aller.

L'heure eût été plutôt à sonner la retraite. Mais le cavalier ne se servait pas de sa trompe. Il formait les notes pour lui-même, machinalement, d'une bouche entraînée depuis l'enfance à souffler dans le cuivre; pas un fredonnement, une vraie petite fanfare dont les modulations allaient mourir dans la forêt.

L'humidité avait éteint les conversations parmi les veneurs qui suivaient. On n'entendait que les giclées de la boue sous les sabots des chevaux, et cette brève sonnerie, à lèvres nues, indéfiniment répétée.

Soudain le cavalier se tut et arrêta Dame-de-Cœur. Les hurlements d'un chien blessé parvenaient de la gauche, du fond de la futaie. Le cavalier, la tête inclinée vers l'épaule, écoutait.

Un tout jeune homme, en simple costume d'équitation, était arrivé à sa hauteur.

— Monsieur de Serremuids?... demanda-t-il timidement.

— Monsieur?

— Avez-vous entendu? On dirait qu'une bête...

— Apprenez, Monsieur, qu'un chien n'est pas une bête.

Les lèvres étroites s'étaient à peine desserrées; la moustache rase, à demi grisonnante, avait à peine remué.

Le jeune homme, dont c'était une des premières chasses, balbutia pour se rattraper :

— Excusez-moi. Voulez-vous que... j'aille voir?

— Voir quoi? Je suis assez grand, Monsieur, pour m'occuper de mon équipage moi-même.

Et, plantant là son invité, le baron de Serremuids sauta le fossé qui bordait le chemin, prit le galop et s'enfonça sous les arbres.

Les basques de son habit volaient derrière lui. Des gerbes d'eau jaillissaient de la mousse. Serremuids, dans l'étau de ses longues bottes noires, orientait les flancs de sa jument entre les hêtres aux troncs dangereusement resserrés. Il franchit un espace de bruyères, dévala le talus d'un chemin creux et continua sa course en ployant le dos pour éviter les branches basses. Les rameaux, à chaque instant, frôlaient sa toque d'un jet de pluie.

Les plaintes lui arrivaient plus proches, plus déchirantes. Il déboucha sur une clairière encombrée de bois de coupe.

A l'autre bout, devant un homme en livrée qui lui assenait de furieux coups de lanières, un chien de meute, lié à un arbre par une laisse, hurlait en se tassant contre terre.

Serremuids fondit droit à travers la clairière, et, déchaussant un étrier, il envoya, d'un coup de talon dans l'épaule, le valet de chiens rouler au sol comme un baquet.

Dame-de-Cœur s'était arrêtée. Le valet, éberlué par le choc, contemplait stupidement, sans se relever, sa main qui saignait. Le chien alors, d'un bond furieux, rompit sa laisse et se jeta sur lui en aboyant.

Les traits de l'homme s'affaissèrent, et il se recroquevilla. Il était l'ennemi du chien; il était à terre comme un animal; il avait une goutte de sang; il savait que tout cela le chien de meute ne le pardonne pas.

— Falot! cria le cavalier. Arrière! Arrière, j'ai dit!

Le chien aboya encore une fois, l'échine raidie, l'œil injecté, puis il vint se ranger, souple, derrière la jument.

Le valet, lourdement, s'était remis debout. Il tremblait tout à la fois de peur et de colère. C'était un garçon brun, massif, au front brutal.

— Il m'a mordu, votre chien, cria-t-il.

Il montrait son poignet blessé. Il n'avait pas lâché le fouet.

— Parce que tu es un saligaud, répondit Serremuids.

— Oui, il m'a mordu, répéta le valet, et ce n'est pas la première fois.

Et il avança, brandissant son fouet par le manche. Un instant son regard affronta les yeux du maître d'équipage, des yeux couleur de pierre grise, étroits, sous les sourcils noirs.

Dame-de-Cœur fit un écart. Serremuids, d'un geste large et rapide, avait déroulé son propre fouet de chasse. La mèche claqua devant la figure du domestique. Celui-ci restait immobile, le bras toujours levé. Il entendit :

— Tu mériterais d'être cravaché, comprends-tu? Cette fois j'en ai assez. C'est la porte, sans rémission.

Le cavalier fit volte-face et, coupant de nouveau à travers bois, vint reprendre sa place en tête de l'équipage. Dans les sabots de Dame-de-Cœur, Falot suivait, un morceau de laisse au cou, avec les zébrures du fouet encore marquées sur son pelage mouillé.

— La Brisée! appela Serremuids.

Le premier piqueux arriva au trot. Bien que ce fût un homme déjà âgé, assez bref et rougeaud, son corps avait gardé une grande aisance.

— Monsieur le baron?

Le piqueux s'était découvert et tenait sa toque de velours bien droite sur son cœur. La pluie glissait sur son crâne chauve.

— Couvre-toi, dit Serremuids... La Brisée, je viens de renvoyer ton fils.

La Brisée vit sur le visage du maître d'équipage la longue contraction de colère qui allait de la narine au menton. Puis il jeta les yeux sur le chien.

— A cause de Falot, n'est-ce pas, Monsieur le baron? reprit-il. Oh! je m'en suis bien douté tout à l'heure. On reconnaît la voix de chacun de ses chiens, surtout celui-là; j'aurais dû y aller.

Serremuids ne répondait pas. Il semblait contempler la buée qui s'élevait de l'encolure de la jument, après l'effort. Le piqueux avait toujours sa toque sur la poitrine.

— Ça devait arriver, reprit-il. Depuis le début que Falot est à la meute, ça n'a jamais marché entre lui et Jules. Les chiens ont leur tête, eux aussi. Et je lui ai souvent dit, à Jules, qu'il ne fallait pas se mettre en faute avec les chiens... C'est dommage, car pour ce qui est de l'ouvrage, il est solide...

— Non. Je n'en veux plus, coupa Serremuids. Pas tellement parce qu'il a levé la main sur moi...

— Il a osé? Oh! sur Monsieur!

— Nous avons été gamins ensemble. Ce n'est pas la première fois que je l'envoie par terre.

Les deux hommes se turent un instant, et contemplèrent en eux-mêmes, l'un à partir du château et l'autre à partir du chenil, trente et des années d'un commun passé dont l'origine se fondait, pour le maître, à la première enfance, et, pour le serviteur, au meilleur temps de la vie.

— Monsieur a toujours été très bon pour Jules, dit La Brisée.

— Oui, mais maintenant c'est fini. On n'attache pas un chien pour le battre.

La Brisée s'était redressé d'un coup.

— Ça, Monsieur le baron a raison. Faire ça, c'est du déshonneur.

L'eau collait ses rares cheveux gris autour de son crâne.

On arrivait à la lisière du bois. Après il y aurait une grande plaine où l'averse serait plus dure.

— Couvre-toi, je t'ai dit.

La Brisée esquissa le geste sans le faire.

— Je comprends que Monsieur n'en veuille plus à la meute, dit-il.

— Ni à la meute, ni au château! Ton fils sera parti demain. Je ne le connais plus.

— Ni au château... répéta le piqueux. Monsieur le baron me pardonnera, mais Jules, malgré tous ses défauts, c'est tout ce qui me reste... Alors... pour ce qui est de moi... ajouta-t-il en hésitant.

Il se vit, le lendemain soir, vieux, veuf, et son fils chassé, dans la petite maison qu'il occupait près du chenil, allumant sa lampe à pétrole pour lui tout seul.

— Toi, mon vieux Bernard, tu feras ce que tu voudras.

En rendant au piqueux son prénom, au lieu de l'appeler par son sobriquet de vênerie, Serremuids marquait une intention, dont l'affection n'était pas absente. Puis il se remit à sonner en sourdine, entre les lèvres.

La Brisée se savait trop âgé pour prendre les habitudes d'un autre équipage; il pensa à tout ce qu'il ne pouvait pas quitter : son habit rouge, la meute, la forêt... et ce bien-aller, chaque jour, comme une nourriture.

— Alors pour ce qui est de moi, dit-il, si Monsieur le baron le veut bien, je reste.

Le regard embelli par sa décision et son sacrifice, le vieux piqueux, nu-tête, s'arrêta à l'orée de la forêt pour laisser le maître d'équipage entrer le premier dans la plaine.

II

Quand le baron de Serremuids reçut son ordre de mobilisation, il monta aussitôt dans sa chambre où son uniforme de lieutenant de réserve l'attendait, déjà préparé auprès des cantines bouclées.

— Appelez-moi La Brisée, dit-il au valet de chambre.

Tandis qu'il achevait de s'habiller et rangeait ses papiers dans les poches de la vareuse, il aperçut sans plaisir, dans une glace, sa haute silhouette maigre.

« Ne suis-je pas trop vieux pour faire la guerre? » pensa-t-il.

Mais non. Pas à trente-six ans. La seule marque de vieillissement, c'était la grande mèche grise, au milieu du front.

« Tu es beau pour les hommes, mais pas pour les femmes », lui avait dit sa première maîtresse un soir de brouille.

Depuis, il avait aimé d'autres femmes; mais jamais il n'avait oublié cette parole. Jamais il n'avait cru que ses yeux gris, son nez trop grand, sa bouche coupante qui ne savait pas sourire, pussent posséder quelque charme. Maintenant il allait pouvoir être beau pour les hommes. Il fit jouer ses muscles sous la tenue militaire, passa quelques instants à se réhabituer à lui-même.

Il ajustait son ceinturon quand le piqueux entra.

— Ma selle d'armes est prête?

— Tout est fait comme Monsieur le baron l'a demandé.

Serremuids prenait son pistolet dans le tiroir d'un secrétaire.

— Ce que l'uniforme va bien à Monsieur, dit La Brisée. Ça le rajeunit.

— Vrai? demanda le baron en se retournant.

Il vit que son piqueux était ému.

— Tu selleras Dame-de-Cœur à onze heures, reprit-il, et tu la conduiras à Alençon, au quartier de cavalerie, dans l'après-midi. Si on te demande quelque chose, tu répondras que c'est mon cheval d'armes.

— Bien, Monsieur le baron.

— Maintenant, occupe-toi de faire mettre tout de suite mes cantines dans la voiture.

Il descendit le grand escalier blanc, jeta un regard sur les trophées de chasse qui tapissaient le mur; les pieds de cerfs et de sangliers s'étageaient, par dizaines, sur des plaquettes de chêne. Dans le hall d'entrée tout le personnel du château se trouvait réuni. Homme sans épouse et sans enfant, Serremuids eut soudain le sentiment aigu de sa solitude.

Il passa, serrant la main de chacun.

— Revenez-nous bientôt, Monsieur le baron, lui dit le régisseur. Vous retrouverez tout en ordre.

— Je compte sur vous, Valentin.

Il sortit sur le perron. La dernière matinée d'août l'accueillait. Déjà quelques feuilles mortes commençaient à sécher sur les pelouses du parc. Le châtelain reconnut, dans cet air normand dont il savait si bien toutes les variations, les premiers parfums d'avant l'automne. Ce serait bientôt la saison de chasse, sans lui.

Il se dirigea vers la chapelle. Le soleil, à travers les vitraux, dessinait sur les dalles de vagues armoiries de lumière. Serremuids s'agenouilla un instant. Sa famille était là, sous ce calcaire usé. Il n'avait que des morts auxquels aller porter son adieu.

Quand il ressortit, la voiture était prête. La Brisée attendait, la main sur la portière. Serremuids se tourna encore une fois vers ses gens.

— Bonne chance, mes amis, dit-il.

Il mit en marche et s'engagea dans l'allée sablée, bordée d'orangers en caisse. Mais au lieu de franchir la grille, il tourna à gauche, dans le parc, et s'arrêta devant le chenil. Il entra, sa cravache à la main. Un moment il contempla les chiens qui venaient le flairer.

— Falot! appela-t-il.

Falot s'approcha avec des yeux tristes de chien qu'on quitte, et vint coller sa tête contre le genou du maître d'équipage.

III

Le long des écuries du premier escadron, les hommes, habillés du matin, étaient déjà au pansage. Presque tous travaillaient sans entrain. La mobilisation, pour eux, commençait par une corvée.

Seul le brigadier Jules Brisset semblait avoir du goût pour cet ouvrage. Il avait ôté son bourgeron neuf; la grosse chemise de coton, à rayures, bouffait en plis raides autour de sa ceinture; ses manches retroussées découvraient des bras ronds et velus. D'un mouvement rapide, il passait la brosse, une fois sur le cheval, une fois sur l'étrille; le poil rebroussé découvrait toutes ses impuretés; et ce geste à deux temps — cheval, étrille, cheval, étrille — procurait à Jules Brisset une absence absolue de colère qui était chez lui le signe du bonheur.

Les bourrelets de son front perlaient de sueur. La crasse blanche volait autour de la croupe du cheval. Et l'on entendait Jules Brisset chantonner des airs qui se terminaient tous par : « Taïaut... hô! Taïaut... hô! »

— Eh bien! ça n'a pas l'air de vous ennuyer, vous, brigadier, dit un rouquin efflanqué, aux pommettes pointues, et qui s'appelait Duval.

— Oh! tu peux me tutoyer, mon gars, répondit le brigadier. Maintenant que c'est la guerre...

— Pas encore... observa à côté d'eux un paysan courtaud qui ramassait le crottin dans une brouette.

— C'est du tout comme, répliqua le rouquin. Quand même, si on m'avait dit que je reviendrais au service!

Il croisa les bras sur le dos de son cheval pour converser plus commodément.

— Et qu'est-ce que tu faisais, comme ça, dans le civil? demanda-t-il.

— J'étais métayer près d'Argentan, dit avec un fort accent de terroir l'homme à la brouette.

Il avait pris la question pour lui parce qu'il était en train de songer à sa ferme.

Le brigadier fit attendre un peu sa réponse.

— Moi, avant, j'étais valet d'équipage, dit-il lentement. C'est dans les meutes, pour les chasses à courre... un beau métier, quand on le connaît. J'étais chez un baron, nourri, logé, et vêtu fallait voir... Mais j'en suis parti.

— Pourquoi?

— On a eu des mots ensemble...

Il n'avait pas osé dire que, depuis près d'un an, il était garçon boucher. Un métier de raccroc, qu'il avait fait sans plaisir ni fierté.

A travers l'odeur qui s'élevait des chevaux, sous le soleil d'août, Jules Brisset retrouvait le parfum plus aigre du chenil, et derrière, comme une grande remontée d'enfance, la senteur brumeuse des futaies au matin.

« J'aurais peut-être pas dû... avec le chien, se disait-il. Mon défaut, ça a toujours été d'être rancuneux. Et après, j'aurais pas dû lever la main sur le baron... C'était ça, ma vraie place. »

Et il se remit à fredonner : « Taïaut... hô! Taïaut... hô... »

Le sous-officier qui surveillait le pansage s'approcha.

— Allez! tous les trois, dit-il, montez vous présenter au lieutenant. Ça va être votre tour.

Dans un couloir du bâtiment de l'escadron, une dizaine de réservistes attendaient déjà, en rang le long du mur. Des plantons passaient, portant des papiers.

Un soldat sortit d'une porte où l'on avait écrit à la craie : « 2e peloton ».

Il fut aussitôt pressé de questions.

— Alors, qu'est-ce qu'il t'a demandé le lieutenant?

— Oh! des tas de choses. Mon âge, si j'avais mon certificat, l'endroit où j'habite. Il a pas l'air commode.

— C'est bien celui qui a un grand nez, qu'on a vu tout à l'heure?

— C'est lui.

— Paraît que c'est un noble. De Serremuids qu'il s'appelle, le lieutenant.

— Ah! ça, alors!... dit Jules Brisset.

— Suivant! criait un maréchal des logis. Tenez vous, le brigadier, passez d'abord.

Et il poussa Jules dans une petite pièce nue, blanchie à la chaux. Dans un coin, assis devant une table, Serre-

muids écrivait. L'ancien valet de chiens se sentit le
cœur battant en revoyant le profil sévère et la mèche
grise qui partageait les cheveux.

Il claqua des talons.

— Brigadier Brisset, Jules!

Serremuids demeurait penché sur ses listes.

« Faudrait peut-être que je fasse le premier pas,
pensa Jules. C'est moi qui dois des excuses. »

Et avec un gros effort sur lui-même, mais qui déjà
le soulageait, il commença :

— Monsieur le baron...

— Date de naissance?

Le lieutenant n'avait pas relevé la tête.

— Alors, mon ami, dit Serremuids; votre date de
naissance, vous ne la savez plus?

— 11 mars 1906, murmura le brigadier dont les bonnes
dispositions venaient d'être arrêtées net.

— Parents?

— Je n'ai plus que mon père.

— Mère décédée, dit le lieutenant en écrivant. Adresse
de la personne à prévenir en cas d'accident?

— M. Brisset, Bernard, piqueux, château de...

Jules eut envie de crier : « Mais enfin, vous le savez
tout de même! Vous pourriez au moins montrer que
vous me reconnaissez. »

Il se décida à poursuivre :

— Château de Serremuids, Orne.

Et la haine aussitôt se réveilla en lui.

Sans broncher, Serremuids traçait son propre nom
sur la feuille.

— Votre profession avant d'être mobilisé?

Le brigadier pensait tellement, et avec une telle

intensité de colère, aux chiens, aux écuries, à l'équipage, qu'il répondit :

— Valet de ...

Les yeux couleur de pierre se levèrent enfin.

— J'ai dit : avant d'être mobilisé.

— Garçon boucher, prononça Jules.

— Mon ami, dit Serremuids en posant sa plume, je vais vous répéter ce que j'ai dit à ceux de vos camarades que j'ai déjà vus. J'exigerai de vous tous une obéissance absolue. Nous ne sommes pas ici pour nous amuser, mais pour faire notre devoir. Vous êtes gradé, vous devez donner l'exemple. J'entends pouvoir compter sur vous. Si vous avez besoin, dans l'avenir, de vous adresser à moi pour un motif quelconque, je serai toujours disposé à vous entendre et à faire pour vous ce qui sera en mon pouvoir... Je vous remercie. Vous pouvez rompre. Suivant!

Jules se sentait vaincu; vaincu comme il l'avait été dans la forêt, et il fut pris du même désir de frapper.

— J'ai dit : « Suivant ».

Quand Jules se retrouva dans le couloir, il crut que son cou allait éclater.

— Alors, comment c'est-il qu'il a été avec toi, brigadier? demandèrent les autres.

— Comme il peut être. Pensez! C'est chez lui que j'étais valet de chiens. Je le connais. Meilleur avec les bêtes qu'avec les gens, je vous le dis. Vous n'avez pas fini d'en voir.

Brisset descendit dans la cour du quartier.

Des fourgons, des fourragères la traversaient sans arrêt. Des automobiles entraient, déposaient des officiers en képi bleu, et repartaient. Par-dessus les cris,

les ordres et le fracas des roues, s'élevaient des sonneries
de trompettes; l'air poussiéreux était agité comme une
eau bouillante.

Mais on sentait que le désordre n'était qu'apparent;
les va-et-vient, le bruit, la cohue constituaient le bras-
sage nécessaire qui allait faire, de ces réservistes station-
nant par groupes, et de ces chevaux à l'abreuvoir, et
de ces tas d'équipements déversés, des escadrons montés
qui sortiraient en rang.

Devant le bâtiment, La Brisée attendait, à cheval,
et tenant en main la jument du lieutenant.

Jules ne témoigna pas grande joie de voir son père.

— C'est pour le baron, que t'as amené Dame-de-
Cœur?

— Comme tu vois, mon garçon, répondit La Brisée.
Je pensais pas te trouver si vite dans tout ce monde.
C'est une chance!

— Pourquoi qu'il emmène pas Falot, tant qu'il y
est, qu'on se retrouve tous ensemble!

— Jules, pourquoi parles-tu comme ça?

— Pour rien.

Une voix lança :

— Deuxième peloton, rassemblement!

Alors Jules, en guise d'adieu à son père, dit à mi-voix :

— Ça se paiera, tout ça!

IV

Letellieux, le paysan d'Argentan, avait été choisi
comme ordonnance.

Letellieux n'avait rien d'une forte tête. Il avait
le sentiment des distances; mais il avait aussi un besoin

continuel de parler de ses étables, de son bétail et de
ses champs. Il dut bientôt reconnaître que le lieutenant
n'était guère *causant*.

Aussi, quand il apprit que le bridagier Brisset s'était
trouvé dans les chasses à courre qui passaient parfois,
naguère, devant sa ferme, il commença de l'accabler
de ses souvenirs, et Jules devint son grand homme.

Jules, lui, allait répétant à qui voulait l'entendre
que le lieutenant était « meilleur avec les bêtes qu'avec
les gens ».

Il l'avait dit lorsque le peloton était arrivé prendre
cantonnement dans un petit village, en bordure de
la forêt des Ardennes, et que Serremuids s'était occupé
des écuries avant de se soucier des logements de la
troupe.

Il le redisait pendant chaque exercice de service
en campagne, lorsque Serremuids, qui avait interdit
le galop quand les chevaux portaient le paquetage
complet, forçait les hommes, pour l'entraînement à
pied, à courir en terrains détrempés.

La même phrase revenait au sujet des repas; et
les soldats, pour qui la soupe du matin et la soupe du
soir étaient les événements essentiels de la journée,
se laissaient aisément persuader qu'ils étaient moins
bien nourris « que les bêtes ».

Ainsi, de proche en proche, la rancune de Jules s'étendait sournoisement, comme une huile, par la seule force
de la parole redite.

Un soir de décembre, après le repas, Jules déclara :
— On en a assez de leur viande de frigo. Demain, y
en aura de la fraîche; c'est le brigadier Bisset qui vous
le dit.

— Bravo! le bricard, cria-t-on autour de lui. Mais comment vas-tu t'y prendre?

— Tu vas aller lui dire, au lieutenant, que ça peut plus durer? demanda Faivre, le cantonnier, un gaillard énorme.

La suggestion de Faivre déplut à Brisset; c'était la seule chose dont il se sentît incapable.

— Je peux rien dire, répondit-il en s'enfermant dans un faux mystère. Faut de la discrétion.

Puis se tournant vers Duval :

— Toi qui es débrouillard, tu vas bien me trouver quelques vieux lacets de cuir?

— Et même des neufs, répondit le rouquin.

Letellieux, pour qui le débat jusque-là était demeuré obscur, eut le visage épanoui d'une soudaine illumination.

— Compris! dit-il à Brisset en clignant de l'œil.

Et, faisant avec les doigts un geste rond qu'il surmonta d'un nœud imaginaire, il ajouta :

— Ça, j'en suis. Parce que là, je m'y connais. Même que dans mes champs, près d'Argentan...

Faivre, qui cherchait à se faire bien voir du brigadier, demanda :

— Est-ce que je peux venir aussi?

— Non, une autre fois, répondit Jules comme s'il s'agissait d'une faveur. On peut pas partir à cinquante. Pour ce soir, y aura Duval et Letellieux.

A la nuit noire, les trois hommes gagnèrent en silence la sortie du village.

*
* *

C'était l'heure où les officiers de l'escadron, le capitaine Noyères, le lieutenant de Serremuids, les deux sous-lieutenants et l'aspirant, sortaient de table.

Ils apparurent ensemble sur le perron de la grande maison de brique que les paysans appelaient pompeusement le château, et qui servait à la fois de P. C., de mess, et de logement du capitaine.

Au bas des marches, une voiture attendait. La lumière basse du vestibule éclairait faiblement la silhouette des cinq officiers.

— Alors, Messieurs, bonne nuit! dit le capitaine d'un ton un peu ironique. Évidemment, je ne sais rien. Mais tout de même, n'écrasez pas le colonel et ne cassez pas trop de bouteilles.

Il y eut trois rires, puis quatre claquements de talons accompagnés d'un : « Mes respects, mon capitaine », prononcé sur quatre timbres différents. Le capitaine rentra dans la maison ; les autres descendirent rapidement le perron ; la lampe du vestibule s'éteignit.

L'aspirant, qui sautillait d'un pied sur l'autre en serrant frileusement son manteau contre lui, demanda :

— Alors, Serremuids? pas de remords? Vraiment vous ne venez pas?

Serremuids n'aimait pas la familiarité avec laquelle l'aspirant Dartois s'adressait à lui. Il répondit sèchement :

— Je vous remercie. Je vous ai déjà dit non.

— Écoutez, vous voyez que le capitaine lui-même ferme les yeux...

— Le capitaine ferme peut-être les yeux; mais, lui, il reste au cantonnement.

Le sous-lieutenant des Aubrayes, vexé, intervint, et d'un ton légèrement narquois :

— Laisse donc, Dartois. Si ça n'amuse pas Serremuids...

Serremuids, qui connaissait les ressources du canton, répliqua :

— Mon cher, j'aime les beaux chiens, j'aime les beaux chevaux; je n'ai pas une femme laide à me reprocher.

Et sans rien ajouter, il s'engagea dans l'allée obscure.

— Décidément, comme lieutenant en premier, on aurait pu toucher mieux! dit Dartois en se mettant au volant.

— Tu as eu tort de le relancer, répondit des Aubrayes déjà calé dans le fond de la voiture.

— Serremuids n'a qu'une chose drôle, dit Forimbert, l'autre sous-lieutenant : c'est à la popote, quand il se met à sonner tout seul ses airs de chasse. Je n'ai jamais entendu quelqu'un imiter aussi bien la trompe. Mais à part cela...

Quand l'automobile passa près de lui, Serremuids franchissait la grille. Il traversa la place de l'église et descendit la grand-rue. Il avançait à longues enjambées. Le froid ne mordait pas sur lui.

« J'ai besoin de marcher un peu avant de m'endormir, se dit-il. Je vais faire le tour du cantonnement. »

Cela lui arrivait souvent. Mais les soirs comme celui-ci, où ses camarades, avec la permission tacite du capitaine, allaient finir la soirée au canton, Serremuids, dans sa promenade, passait plus près des logements de la troupe, afin que les soldats entendissent son pas.

Il se dirigeait sans hésitation dans l'obscurité, car il voyait presque aussi bien la nuit que le jour. Il remarqua une sangle qui traînait sur le sol, près d'un bâtiment, et, plus loin, une porte d'écurie mal fermée. Il entra et donna au garde l'ordre de calfeutrer l'ouverture.

— Vous ne vous rendez pas compte du courant d'air qui passe sur la tête des chevaux? Que ça ne se reproduise pas.

Serremuids savait que le lendemain on lui en voudrait de sa ronde nocturne, à lui qui était resté. Sans doute les hommes de son peloton diraient :

— Ah! Si on était avec l'aspirant, ou bien avec le lieutenant des Aubrayes...

Déjà, il avait plus d'une fois surpris le fameux : « meilleur avec les bêtes »...

Il arrivait au bout de l'agglomération. Il lui sembla apercevoir dans les champs trois ombres qui s'éloignaient dans la direction de la forêt.

Serremuids n'était pas un imaginatif. Il ne pensa ni à des espions, ni à des parachutistes. Il ne tira pas son pistolet de l'étui.

Mais simplement, en fredonnant tout bas le bien-aller, il s'enfonça dans la campagne.

*
* *

Si Jules Brisset avait décidé d'aller poser des collets, ce n'était pas seulement pour servir sa popularité. De même que Letellieux vivait mal s'il ne sentait pas sous ses semelles la terre grasse d'une prairie ou d'un champ labouré, l'ancien valet de chiens avait besoin du sol de la forêt, et de l'odeur fumeuse de l'hiver sous les branches, et du toucher chaud d'un pelage de gibier.

En outre, depuis qu'il était retombé sous l'autorité du baron, seul l'accomplissement d'un acte interdit pouvait lui procurer quelque joie.

Duval, derrière lui, était loin de partager son bien-être. D'abord, le rouquin n'y voyait miette dans cette nuit sans lune, et, pour se diriger, devait s'accrocher au manteau de Jules; et puis il avait peur, parce que la peur, chez lui, occupait tout ce que la vantardise n'emplissait pas.

— Des fois que ça se saurait, disait-il d'une voix étouffée, tu crois pas qu'il faudrait donner demain un lapin au lieutenant?

Il n'était venu que pour raconter ce qu'il aurait fait, et le brigadier ne l'avait emmené que pour avoir un colporteur de son exploit.

— Si encore on en prend, ajouta Duval, qui craignait aussi le ridicule de ne rien rapporter.

— Aie pas peur, répliqua Jules. J'ai repéré les coins, hier, au service en campagne. Tu vois pas un gros hêtre, là-bas, au bord de la forêt, plus haut que le reste?

— Ça ou autre chose, je vois rien.

— Eh bien! en bas, il y a une sente qui est pleine de crottes. Sûr que les lapins prennent par là, pour courir aux champs.

Letellieux fermait la marche, et son pas sur les mottes herbeuses avait fait lever toute une compagnie de souvenirs qu'il se racontait à lui-même.

— Ça serait des perdreaux, à la saison, on les aurait avec des crins. Même qu'un jour, sur les terres de plateau, près de chez moi...

Ils entrèrent dans le bois.

Quand ils furent arrivés au gros hêtre, Brisset flaira longuement la senteur de garenne accrochée aux talus moussus du layon. Puis il s'accroupit, et Letellieux auprès de lui, et tous deux se mirent à fabriquer les collets. Duval, dont les yeux ne s'habituaient pas à l'obscurité tressaillait à chaque branche cassée.

— Y a quelqu'un qui vient, chuchota-t-il.

— Oh! laisse-nous tranquilles! Quel froussard, répondit Jules.

— Je vous dis qu'il vient quelqu'un. Je l'entends.

Jules se retourna. Un immense manteau à peine moins sombre que la nuit, une ombre longue avançait entre les arbres.

— Planquez-vous, les gars! Voilà le lieutenant!

Serremuids entendit l'exclamation.

— Inutile! Levez-vous donc tous les trois, cria-t-il.

Ils obéirent.

Le manteau se tenait immobile à quelques pas d'eux, avec, en bas, un petit claquement de cuir : le bruit nerveux de la cravache contre les jambières.

— Brisset... Letellieux... Duval... prononçait Serremuids à mesure que les autres se redressaient. Pourquoi êtes-vous sortis du cantonnement sans autorisation? Répondez!

— Dis-lui que c'est rapport à la viande, dis-lui, souffla Duval à l'oreille du brigadier.

Une autre idée s'agitait dans le cerveau de Jules, une tentation insensée. C'était la nuit, à plus de cinq cents mètres du cantonnement. Et ils se trouvaient trois, trois contre un...

Le lieutenant passa auprès d'eux, avança dans la

sente. Un moment il demeura de dos, faisant sauter un collet du bout de sa bottine. Duval grelottait de crainte et de froid.

« Si seulement j'avais emmené Faivre, Faivre qui est fort comme un bœuf! » pensa Jules.

Serremuids s'était retourné.

— On devrait savoir que je n'aime pas le braconnage, dit-il en s'arrêtant devant le brigadier. Brisset, comme vous êtes gradé, je vous tiens pour responsable. Vous aurez huit jours de prison.

Jules rectifia machinalement la position. L'occasion de la vengeance était passée. « Ce sera pour une autre fois, se dit-il. Ça s'ajoute au reste. »

— Quant aux autres... reprit Serremuids.

Il allait dire : « Les autres feront quatre jours »; mais il songea que Dame-de-Cœur était habituée à Letellieux, l'ordonnance, et que pendant ces quatre jours elle serait sans doute mal soignée.

Alors il décida :

— Quant aux autres, ils auront la même punition, mais avec sursis. Rentrez au cantonnement.

V

Les huit jours que Jules Brisset passa en prison furent un enfer pour Letellieux. Chacun le traitait comme s'il avait été responsable de la peine infligée au brigadier.

— C'est parce que t'es le chou-chou du lieutenant que ce pauvre Brisset a été tout seul en tôle. Sinon on y serait comme lui, pas vrai, les gars? disait Duval qui payait sa tranquillité d'ingratitude.

— Moi, si j'étais ordonnance, disait Faivre, le cantonnier, je sais bien ce que je ferais.

— Mais qu'est-ce que tu veux que je fasse? répondait
Letellieux désolé. On ne peut tout de même pas la tuer,
cette bête!

— Il s'agit pas des bêtes, il s'agit des gens, insinuait
Duval en fumant sa pipe. Mais il y a aussi des gars
comme toi qui n'ont pas de courage, même pour venger
les copains.

Letellieux fut tellement harcelé qu'il finit, au bout
de la semaine, par promettre tout ce qu'on voulait.

Quand Jules sortit de prison, où il avait renouvelé
sa provision de rancune, il fut fêté comme un martyr.

— Et puis on t'a attendu pour quelque chose qui ne
pouvait pas se passer sans toi, lui dit Faivre. On t'a
préparé un spectacle...

Devant les écuries du peloton, qui s'ouvraient sur
une vaste cour de ferme, les hommes attendaient sur
un rang à la tête de leurs chevaux. Il avait plu.

Serremuids arriva et passa son inspection habituelle.
Quand il souleva le quartier de la selle de Brisset pour
voir si la sangle était propre, il remarqua que Duval
faisait un clin d'œil au brigadier. Serremuids examina
plus attentivement le harnachement, ne trouva rien, et
se dirigea vers Dame-de-Cœur tenue par Letellieux en
avant du peloton.

Comme Serremuids, le pied dans l'étrier, s'enlevait
du sol, la selle brutalement se déroba sous lui, et il
s'étala dans la boue.

Il se remit instantanément sur pied. Son manteau
était couvert d'argile et de purin. Serremuids entendit
qu'on ricanait derrière lui. Il examina sa selle renversée,

et remarqua, encore pris dans les boucles, les deux contre-sanglons de cuir assez grossièrement déchiquetés; il se rappela le clin d'œil de Duval à Brisset, et nota que Letellieux n'avait pas fait un geste pour l'aider à se relever.

Serremuids se retourna. Les ricanements cessèrent.

— Letellieux, ramasse la selle, vite! commanda-t-il.

Letellieux se précipita.

— Ote la sangle.

Letellieux agitait les doigts sans voir au juste ce qu'il faisait. « Il a peut-être compris... Il a peut-être bien compris. » Et l'angoisse lui nouait l'estomac.

— Remets la selle.

Letellieux obéit. « Il va tout de même pas remonter sans la sangle... »

Tous les regards du peloton suivaient ses gestes.

— Maintenant tu vas l'essuyer.

L'ordonnance saisit un coin de son manteau.

— Non! Avec tes fesses! Allez, à cheval! Saute.

Letellieux était lourd et tassé; ses vêtements humides l'engonçaient et la peur lui raccourcissait les jambes. Il fit cinq ou six tentatives vaines. Il entendait la cravache du lieutenant battre contre la botte. La jument commençait à s'énerver, tournait, reculait.

Écarlate, à bout de souffle, et pendu sans espoir après le garrot, l'ordonnance finit pas s'écrier :

— Mon lieutenant, tout ça n'est pas ma faute...

— Je t'ai dit de sauter.

L'ordonnance fit un dernier effort, parvint à hisser le buste en travers du pommeau, à enfourcher la selle. Ses pieds cherchèrent inutilement les étriers trop longs.

Alors, Serremuids, brutal pour la première fois avec

sa jument, assena à celle-ci un grand coup de cravache
sur la croupe. Dame-de-Cœur partit au galop.

On vit Letellieux vaciller, se raccrocher à l'encolure,
glisser contre le flanc; une ruade l'envoya au sol.

— Allons, relève-toi!

Letellieux ne bougeait pas. Dame-de-Cœur revenait
d'elle-même se placer auprès des autres chevaux. Les
hommes, oubliant qu'ils avaient souhaité pour le lieutenant ce qui arrivait à Letellieux, murmurèrent.

— Deux d'entre vous pour aller le ramasser.

Ni Brisset, ni Faivre, ni Duval ne bougèrent.

Quand on s'approcha du métayer d'Argentan, il
était blanc comme les cierges éteints. Les veines de sa
couperose lui dessinaient un mince réseau sur les joues;
il tremblait dans la boue en tenant à deux mains sa
jambe brisée.

VI

Depuis ce jour, et tout le temps que le peloton resta
cantonné, il n'y eut pas d'autre incident.

Chaque fois que les hommes disaient à Brisset :
« Il faut faire quelque chose », le brigadier répondait :

— Vous en faites pas. Attendez qu'on aille au casse-
pipes. Ça se paiera.

Vers avril, Letellieux revint et reprit consciencieuse-
ment sa place d'ordonnance.

Aussitôt l'attaque allemande, au début de mai,
le groupe de reconnaissance dont faisait partie l'escadron Noyères pénétra en Belgique.

Les deux premiers jours se passèrent sans histoire,
à couvrir des lieues de la plaine flamande, sous le soleil

de printemps. Le troisième matin, le peloton Serremuids, en traversant un village, fut accueilli par des
salves de mitraillette tirées des fenêtres. Il fallut une
heure pour nettoyer le village et en déloger la patrouille
ennemie. Le peloton eut deux blessés, dont Duval
qui reçut une balle dans l'épaule.

— Vous voyez, dirent les hommes, il avait raison
d'avoir peur. C'est lui qui a écopé le premier.

Le lieutenant, pendant l'accrochage, avait donné
ses ordres avec la même sécheresse et sans plus s'abriter
que s'il se fût trouvé dans la cour du quartier.

Le lendemain, dans la matinée, comme Serremuids
marchait en avant-garde de l'escadron, ses éclaireurs
de tête vinrent lui signaler une voiture blindée se dirigeant vers eux.

On la distinguait très bien à la jumelle. Elle avançait,
volets ouverts. Sans doute une égarée, ou bien accom-
plissant une reconnaissance solitaire. Aucune autre
ne la suivait. Elle était environ à sept cents mètres.
Puis les arbres la cachèrent.

Le peloton, ne possédant pas l'armement voulu pour
l'affronter, ne pouvait que s'égailler, et la laisser passer.

Pourtant Serremuids hésita un peu avant d'en
donner l'ordre. Il examinait rapidement le terrain autour
de lui, la route, droite seulement sur une centaine de
mètres, les arbres qui la bordaient, le fossé, le tournant.

Il appela Brisset.

— Donne ton cheval, commanda-t-il. Prends un fusil-
mitrailleur, une boîte de chargeurs, et viens avec moi.

Puis enflant la voix :

— Pour les autres, dispersion à volonté! Au galop!

Lui-même sauta à terre et lança ses rênes à Letellieux

qui entraîna Dame-de-Cœur. Le chemin fut immédiatement déblayé.

Serremuids et son ancien valet de chiens restèrent seuls.

— Mets-toi ici, dit l'officier en désignant le fossé. Quand l'auto arrive à la borne... là-bas, la borne blanche, vu?... quand elle arrive là, tu tires, mais tu tires sur la route, devant. Et si elle continue d'avancer, raccourcis et tire devant, toujours devant elle! Compris?

Brisset pensa : « Un fusil-mitrailleur, contre une blindée! Il est fou, ce salaud-là, ou bien il veut me faire démolir. »

L'auto-mitrailleuse venait de réapparaître dans le coude de la route, et progressait entre les arbres, comme un gros sanglier.

— Alors, devant, n'est-ce pas, dit encore Serremuids, pour la ralentir; moi, je vais essayer de la servir!

Et, dégageant son pistolet, il se porta en avant, en courant.

« Je vais la servir. » Les mêmes mots qu'à la chasse, au moment de l'hallali, quand Serremuids sortait son long couteau de la gaine. Et soudain Brisset se rendit compte que le baron s'était remis à le tutoyer, comme autrefois. Et comme autrefois, à la chasse, Brisset obéit, sans chercher à comprendre.

Serremuids, à cinquante mètres, s'était tapi lui aussi dans le fossé. Sa seule crainte, dans cet instant, était que le brigadier ne tirât pas au bon moment. Si Jules hésitait, la prise était manquée.

L'auto-mitrailleuse avançait dans la ligne droite. Le bruit du moteur augmentait de seconde en seconde. Serremuids, les yeux à fleur de la chaussée, vit les roues de la voiture passer devant lui. Et aussitôt la route, à hauteur de la borne blanche, se mit à crépiter; le sol, devant la voiture, se soulevait en flocons de poussière.

Le véhicule freina. La mitrailleuse tourna dans la tourelle; le tireur, à l'intérieur, cherchait d'où venait l'attaque.

Serremuids sauta sur la route, pistolet haut, et courut vers la blindée. Des balles sifflèrent très près de lui. Brisset n'avait pas assez raccourci son tir et cherchait, inutilement, à toucher lui-même l'ennemi.

« Il va me tuer, cet imbécile », pensa Serremuids.

Mais à mesure qu'il courait, il vit le crépitement se replier devant lui et les gerbes de poussière réapparaître en avant des roues.

L'auto-mitrailleuse continuait de rouler, mais très lentement.

Serremuids bondit sur le marchepied arrière, passa son bras par l'ouverture du toit et vida son pistolet à l'intérieur. Les occupants n'eurent pas le temps de fermer le volet. Ils virent au-dessus d'eux l'éclat de deux yeux gris dans une tête d'épervier, et la lueur des coups de feu.

Serremuids observa l'affaissement successif de trois casques ronds; il perçut, dans le ventre, le dernier soubresaut d'un essai de marche arrière; puis la voiture s'arrêta, morte.

En descendant du marchepied, Serremuids éprouva une curieuse sensation de maigreur dans les jambes; et cela lui donna à penser qu'il fallait une assez forte dépense physique pour servir une auto-mitrailleuse au pistolet.

Brisset, de son côté, se releva. Il était blême. Il

venait de comprendre que pendant la seconde où, pris de
peur, il avait oublié l'ordre et cessé de viser trop court,
pendant cet instant il avait failli tuer le baron.

Et sans qu'il crût pour autant le haïr moins, il en
tremblait encore cinq minutes plus tard.

VII

La retraite du groupe de reconnaissance fut une équi-
pée sinistre. Pendant huit jours et huit nuits, les pelotons, tantôt disséminés, tantôt groupés comme essaims
errants, refranchirent à cheval tout le terrain parcouru
et plus encore, tandis qu'à côté d'eux, sur les routes
parallèles, les armées motorisées ennemies les dépassaient
sans cesse. Huit jours de combats sans espoir, de fronts
étirés tenus avec un rideau de feu dérisoire pour couvrir
des replis énormes, huit nuits de passages miraculeux
entre les pinces des colonnes blindées.

Sur les quatre escadrons de combat, l'un était anéanti,
et les autres réduits du tiers ou de moitié.

Le dernier soir, les restes du groupe étaient parvenus
à se rassembler dans une forêt de l'Argonne. L'ennemi
tenait tous les débouchés.

Une fausse atmosphère de repos régnait dans le
sous-bois traversé des rayons pourpres du couchant.

— Mais qu'est-ce qu'on fait ici? Qu'est-ce qu'on
attend? demanda Serremuids au capitaine Noyères.

— Le colonel a fait prendre la liaison avec la division. Il attend les ordres.

— Si la liaison peut passer, dit Serremuids.

Il revint vers son peloton.

— Vous pouvez manger un morceau avec ce que vous avez, dit-il. N'attendez pas la soupe; il n'y en aura pas ce soir.

La cuisine roulante avait été détruite dans la journée, par un obus. Les soldats sortirent des musettes leurs dernières boules de pain et leurs dernières conserves.

— En voulez-vous un peu, mon lieutenant? demanda Letellieux.

— Non, merci. Je n'ai pas faim.

Serremuids regardait les hommes assis sur la mousse, les chevaux fourbus, gris de poussière, broutant avidement une herbe rare au pied des arbres, et les casques par terre, et les armes éparses. Il se rappela le quartier d'Alençon, le jour de la mobilisation. Comme le désordre alors paraissait plein d'espoir!...

La liaison venait d'arriver.

Le colonel fit réunir les officiers, douze en tout sur la trentaine qu'ils étaient au départ. Auprès du capitaine Noyères, il ne restait que Serremuids et l'aspirant Dartois. Les deux sous-lieutenants avaient été tués.

Le colonel marchait de long en large. C'était un homme plutôt petit. Sa culotte beige, largement galbée, était souillée de terre. Les galons, sur les manches de sa vareuse, se décousaient. Il avait une éraflure au menton, produite il ne savait plus par quoi, et la jugulaire de son casque était arrachée. Mais il gardait, encastré dans son orbite droite, un monocle épais comme un culot de bouteille.

— Mes amis, déclara-t-il, nous sommes complètement encerclés...

Il s'arrêta.

— ... sur une profondeur bien plus grande que ce que nous croyions; la division elle-même est hors d'action.

Le colonel s'arrêta encore une fois et mit les mains derrière le dos pour qu'on ne vît pas qu'elles tremblaient.

— Je viens de recevoir les ordres. Il paraît que notre mission est terminée...

Il y eut un moment de silence, où l'on n'entendit rien que des respirations sourdes et le bruissement des feuillages.

— Nous devons attendre sur place, casser nos armes... et tuer nos chevaux. Voilà les ordres.

— Bon Dieu! cria quelqu'un près du capitaine Noyères.

— Oui, je sais, Serremuids, répondit le colonel en tournant le monocle qui lui servait de regard dans la direction du lieutenant en premier. C'est très dur. Mais le groupe ne peut pas passer. Nous pouvons faire cadeau de notre peau à l'ennemi... pas de nos chevaux ni de l'armement qui nous reste. D'ailleurs, l'ordre n'est pas de moi, je vous prie de le croire. Messieurs, je vous remercie tous de ce que vous avez fait sous mon commandement.

Par ce remerciement, bref comme une indication de manœuvre, chacun comprit que le groupe, en cessant de combattre, cessait d'exister.

— Mission terminée, mission terminée! Mais on n'a rien foutu! s'écria Dartois qui, avec cinq hommes, avait tenu une ferme pendant onze heures de rang, jusqu'à ce qu'on vienne le dégager.

— Alors, mon colonel? demanda l'officier vétérinaire. Pour les chevaux, je demande des corvées?

— Pour cela, Doullins, il n'y a pas de corvée. Chacun tuera lui-même sa monture.

Le colonel sortit son revolver et alla le premier abattre son cheval d'armes.

Les officiers, tristement, se décidèrent à rejoindre leurs hommes.

Serremuids ne bougeait pas.

— Alors, Serremuids? lui dit Dartois.

— Il y a aussi le cheval de Forimbert, dit Serremuids comme se répondant à lui-même.

— Ne vous en faites pas, mon vieux, je m'en occuperai, dit l'aspirant en lui donnant une tape sur l'épaule.

Pour la première fois, le lieutenant en premier sut gré à Dartois de sa familiarité.

Les coups de feu commencèrent à claquer dans la forêt. C'était le crépuscule. Serremuids voyait les éclairs roux des pistolets illuminer le dessous des branches.

Les chevaux s'affaissaient en masses sombres. Parfois l'une de ces masses, déjà frappée, partait dans un galop ivre et allait s'écraser la tête contre un arbre. D'autres se débattaient sur le sol, et il fallait un deuxième coup pour les achever. De toutes parts s'élevaient de longs hennissements d'agonie.

L'odeur de poudre et de sang s'épaississait dans l'air. La tuerie augmentait de vitesse.

Un cheval aveugle passa près de Serremuids et faillit le renverser. Un homme courait derrière, un mousqueton à la main. Le cheval aveugle buta sur une pierre, tituba encore, et s'agenouilla contre un talus, avec une humilité de mourant. Le soldat tira presque à bout portant, et le cheval glissa sur le flanc, la cervelle éclatée. Et toujours, emplissant la forêt, cette immense clameur d'épouvante et de douleur, comme si toute l'espèce hennissait ensemble.

Un moment Serremuids se mit les mains sur les oreilles, pour ne plus entendre.

Quand il arriva auprès de son peloton, il vit que Jules Brisset abattait les montures de ceux de ses camarades auxquels le courage manquait. Il faisait tenir le cheval par les rênes et lui tirait un coup de pistolet dans l'oreille. L'animal tombait sans souffrance ; à peine un dernier battement convulsif des sabots, et la vie s'arrêtait. Serremuids, regardant faire le brigadier, se rappela : « Garçon boucher... »

Les soldats n'avaient jamais vu au lieutenant cette attitude défaite, cette nuque basse, ces épaules effondrées.

Serremuids contemplait les cadavres de ses chevaux. A ses pieds, des rigoles noires couraient parmi la mousse..

— Brisset ! appela-t-il.

Le brigadier se retourna.

— Tiens ! dit Serremuids en lui tendant son pistolet.

Et, d'un mouvement de tête, il désigna Dame-de-Cœur.

Il ne fallait rien moins qu'une catastrophe générale pour que Jules Brisset pût enfin prendre l'avantage sur le maître qui l'avait toujours dominé.

— Si c'est pour votre jument, mon lieutenant, répondit-il, faudra le faire vous-même. Chacun le sien, c'est les ordres.

Et il se disposa à abattre le cheval de Faivre.

Les hommes s'attendaient à un sursaut de colère de la part du lieutenant, à un commandement brutal.

Serremuids n'ajouta rien. Il se dirigea lentement vers Dame-de-Cœur. Quand il voulut lui mettre la main sur l'encolure, pour la caresser une dernière fois, la jument se cabra, l'iris presque retourné. Serremuids vit, au-dessus de lui, cet œil blanc qui le regardait avec effroi. Elle, qui était restée si calme pendant les combats, s'affolait à présent.

— Tu le sais, ma pauvre belle, tu sais ce que je vais te faire, murmura-t-il.

Et Dame-de-Cœur se mit à hennir. Ce hennissement couvrit pour Serremuids toutes les autres plaintes des chevaux qui expiraient.

Il se redressa d'un coup. Son visage avait repris une expression violente; ses lèvres de nouveau s'étaient limées.

Il courut au colonel.

— Mon colonel, puisque notre mission est terminée, dit-il, je vous demande de me rendre ma liberté.

— J'ai encore le droit de vous la donner, répondit le colonel. Là où tout le groupe se ferait massacrer inutilement, quelques hommes peuvent échapper. Je voudrais être à votre place. Vous n'êtes pas obligé de partager mon sort; je suis obligé de partager celui de ma troupe... Allez, Serremuids, faites vite. Et bonne chance!

Le lieutenant revint vers son peloton. Tous les chevaux étaient morts. Déjà quelques hommes commençaient à briser leurs mousquetons, en frappant la crosse contre les arbres.

— Je pars, dit-il d'une voix qui avait retrouvé toute sa fermeté. Je vais tenter de passer. S'il y en a qui veulent venir avec moi, qu'ils viennent. Ce n'est pas un ordre. Faites comme vous voudrez.

Et il alla resseller lui-même Dame-de-Cœur.

Les hommes se concertaient.

— Il est fou, dit Faivre. Prisonnier pour prisonnier, ce n'est pas la peine de risquer d'être tué.

— Et puis on est esquinté. On n'en peut plus, dit un autre.

Les yeux s'étaient tournés vers Brisset. Tous savaient qu'en fin de compte ce serait lui qui déciderait.

— Alors, le bricard? T'es de notre avis?

Jules hocha la tête pour approuver; il répondit :

— Moi les gars...

A ce moment un air de chasse retentit sous les arbres. Serremuids, s'étant mis en selle, sonnait entre ses lèvres sans chair, sonnait furieusement pour ne plus entendre mourir les chevaux des escadrons voisins.

Brisset avait laissé sa phrase en suspens. Il respira fortement, retrouva le vrai parfum de la forêt, et il n'y eut presque pas de lutte en lui.

Il ramassa son fusil-mitrailleur, passa l'épaule dans la bretelle, répéta :

— Moi les gars...

Et il rejoignit le lieutenant.

Alors Letellieux emboîta le pas, et Faivre derrière lui, et les autres suivirent.

Le colonel, adossé contre un arbre, vit un de ses pelotons s'enfoncer dans la nuit, avec un cavalier, en tête, qui sonnait le bien-aller.

LA MAISON HANTÉE

L E temps s'était un peu adouci, pendant la journée,
amorçant le dégel. Mais le froid reprendrait sûrement, au cœur de la nuit.

Dans le bois de hêtres et de sapins où le groupe
cheminait en file indienne, on n'entendait que le bruit
des gouttes, sans arrêt, tombant d'une branche sur
l'autre, et le pas des treize hommes sur le sol détrempé.
L'étoffe militaire, chargée d'eau, pendait lourde après
leurs épaules, et chaque manteau était un autre corps
qu'ils portaient sur le dos.

Remi Hourdou, natif du Perche, presque un géant,
marchait le dernier et humait la trace de toute la
colonne.

— On sent le chien mouillé, dit-il.

Personne ne lui répondit. Rien que les gouttes tombant
des arbres, et les pas tombant dans les pas, et la boue
glacée giclant sous les semelles.

Hourdou voyait devant lui le dos épais du gros Butel,
et plus loin, dans le sentier, les épaules tombantes
du brigadier Cruzet, et enfin, là-bas, où commençait la
brume, le septième casque en partant de la fin, Diriadec,
le Breton, qui ne parlait jamais.

Mouillés jusqu'au ventre, le col relevé, ils s'en allaient courbés, tous sauf Remi Hourdou, le colosse, qui se tenait droit parce que cela l'aurait fatigué de marcher autrement.

Ils mirent une demi-heure pour atteindre la lisière de la forêt. Le village était en dessous, dans un fond. Il avait été bombardé peu de temps avant. On voyait des charpentes dénudées, aux chevrons apparents comme les côtes d'un squelette, et d'autres toits criblés de trous, et d'autres dont toutes les tuiles étaient retournées, avec encore de petits paquets de neige dessus.

— On dirait une aile de pigeon, quand on souffle à rebours sur la plume, dit Remi Hourdou.

La nuit était venue lorsqu'ils entrèrent dans le village. Ils passaient entre des portes crevées, des volets pendants, et les vitres tombées claquaient sous leurs pieds. Le silence de la forêt, c'est normal, c'est supportable ; et puis ce n'est jamais le vrai silence ; il y a toujours une branche qui craque, une bête qui bouge... Mais le silence des maisons mortes, c'est un mauvais accueil pour des hommes transis de froid et de fatigue.

Au centre du bourg, devant la mairie, une bombe avait ouvert un énorme cratère que les pluies avaient empli. Ce plan d'eau sombre, épais et poli comme un marbre, avec une couronne de neige sur les bords, ajoutait à la désolation du lieu.

Le sous-officier, qui avait bien étudié son plan, se dirigeait sans hésitation à travers les rues. Il pénétra dans une cour de ferme, longea les bâtiments.

— C'est là, dit-il en poussant une porte.

Il alluma sa lampe de poche, et les hommes entrèrent derrière lui. La petite lumière bleue se promena sur le bas des murs, éclairant au passage les coins de la pièce, un pied de meuble, le balancier immobile d'une vieille horloge. Il y avait, par terre, une dizaine de matelas laissés par les prédécesseurs.

— Tout le monde est là? dit le sous-officier. Cruzet, assurez-vous que les volets sont bien fermés. Les autres, barricadez les ouvertures. Et solidement, hein!

Hourdou traîna une énorme table et la dressa contre la porte. Puis, aidé de Diriadec qui ne disait pas un mot, il transporta un pétrin et mit encore un coffre par-dessus. Des bancs furent croisés en travers des fenêtres.

La lampe formait sur le dallage un rond bleu aux pieds du maréchal des logis. Instinctivement, tous les hommes tirèrent les matelas et se rapprochèrent de ce maigre cercle lumineux.

Un ouvre-boîte grinça contre le fer blanc d'un couvercle; des mains fouillèrent les musettes pour chercher un saucisson humide ou une barre de chocolat à moitié fondue.

— On n'aurait pas vu d'en haut les toits démolis, on se croirait presque à l'abri, murmura Levavasseur pour dire quelque chose.

— Pourquoi parles-tu si bas? demanda Hourdou.

— Je ne sais pas, je faisais pas attention, répondit Levavasseur.

Quelle contrainte pesait sur la pièce pour que les moindres paroles, les bruits les plus ordinaires prissent une si grande place dans le silence? On entendit un talon racler le carrelage et un liquide ballotter entre les parois d'un bidon. Puis le brigadier Cruzet dit :

— Alors, c'est ça qu'on appelle une maison hantée?

Pour des revenants, on se porte pas trop mal, les gars!

Tout le long du front de Lorraine, entre les lignes, dans le *no man's land*, il y avait de ces villages évacués où les postes avancés se repliaient la nuit. Les soldats y allaient au crépuscule, s'enfermaient dans une maison, sans faire ni feu ni lumière; et ces demeures abandonnées, habitées par des ombres entre la fin et le lever du jour, au milieu d'une agglomération déserte et souvent en ruine, avaient été baptisées les « maisons hantées ».

Le groupe de combat du maréchal des logis Lalande avait déjà passé plusieurs semaines aux avant-postes. Mais c'était la première fois qu'il avait à s'établir dans une de ces maisons.

— Et les gens d'en face, maréchal des logis, questionna Chambiron, ils ne viennent jamais par ici?

— Des patrouilles quelquefois, répondit le sous-officier, en taillant des tranches dans sa boule de pain. Quelquefois, il y a deux maisons hantées dans le même village. Mais c'est rare.

— Eh bien! moi, les gars, dit Levavasseur après un instant de silence, je vous dis qu'ils viendront ce soir. J'ai des pressentiments.

— Oh! toi, t'as surtout la trouille, dit quelqu'un.

Quelques rires s'élevèrent, des rires de soldats fatigués qui commencent à digérer. Et d'un seul coup ces rires s'arrêtèrent, et personne ne bougea plus, et chacun comprima sa respiration.

— On marche, là-haut, dit tout bas le brigadier Cruzet. Vous entendez, maréchal des logis?

— J'entends. Taisez-vous!

Le sous-officier éteignit sa lampe. Tous, dans l'obscurité, avaient la tête levée vers le plafond, écoutant un pas lourd qui se déplaçait au-dessus d'eux. Par instants le pas s'arrêtait; puis il reprenait vers le mur du fond. Et d'en bas les hommes le suivaient en tournant le cou, comme si leurs chevelures, à travers le plancher, avaient été aimantées par ces semelles pesantes.

— Ce serait drôle, tout de même, qu'ils aient choisi la même maison que nous, murmura la voix tremblante de Levavasseur.

— On va voir ce que c'est, dit le maréchal des logis Lalande en remettant son casque. Et en silence, n'est-ce pas? Ne venez pas tous.

Le petit cercle bleu réapparut sur le sol. Remi Hourdou, le brigadier Martin, Diriadec se levèrent sans bruit, prirent leur fusil et suivirent le sous-officier. Le brigadier Cruzet engagea à tâtons un chargeur dans le fusil-mitrailleur, en s'efforçant de feutrer le déclic; il chuchota :

— Vous n'avez qu'à appeler, maréchal des logis, et je tire à travers le plafond.

Les autres se tinrent prêts. Lalande était sorti de la pièce et gravissait lentement l'escalier. Derrière lui, Remi Hourdou montait en retenant sa force, mais les planches gémissaient sous son poids.

— Qui va là? cria brusquement le sous-officier en mettant le pied sur la dernière marche.

En bas, Cruzet avait le doigt posé sur la gâchette.

— C'est moi, maréchal des logis, c'est moi, répondit une voix.

Et la silhouette du gros Butel apparut sur le palier.

— Je cherchais s'il y avait pas quelque chose à boire, ajouta Butel.

— Eh bien! Tu l'échappes belle! Tiens! Regarde comment on vient te chercher.

Dans un premier mouvement de fureur, le sous-officier saisit Butel aux épaules et lui fit dévaler l'escalier :

— Allez, ouste! La prochaine fois, je t'apprendrai à jouer les revenants. Tes copains devraient te casser la figure!... Maintenant on va tâcher de dormir, si tu veux bien nous laisser tranquilles.

Tous s'étendirent sur les matelas. On entendit bientôt une respiration devenir longue et sifflante du côté où se trouvait Chambiron. Butel murmura encore :

— J'ai pourtant l'idée qu'il y a quelque chose à boire là-haut.

Et il s'endormit.

Il fut réveillé en sursaut par un fracas épouvantable.

— Aux armes! cria Levavasseur en cherchant instinctivement son fusil.

Les hommes s'étaient dressés.

— Qu'est-ce qui se passe? demanda Butel.

Le bruit s'était produit dans la pièce même. Le sous-officier alluma sa lampe. On s'aperçut que l'un des bancs croisés devant les fenêtres venait de tomber.

— Il est tout de même pas dégringolé tout seul, dit Remi Hourdou. Je sais bien comment je l'avais posé.

— Ça ne serait pas du dehors qu'on l'aurait poussé? dit le brigadier Martin.

Hourdou passa la main à travers le carreau brisé; les volets étaient bien clos et les crochets n'avaient pas bougé. Hourdou fut forcé d'admettre que le banc était tombé de lui-même; il le replaça et vint se recoucher.

Tout se tut à nouveau. On entendait juste les hommes se retourner sur le sol. A l'extérieur, les gouttes avaient cessé de tomber du toit; il regelait. Les vêtements se collaient, plus froids, à la peau.

— C'est drôle, dit soudain Chambriron. On a sommeil et on ne peut plus dormir.

Ils se sentaient entourés de volontés hostiles, rôdant entre ciel et terre. Tous attendaient qu'il se produisît quelque chose. Brusquement, une pierre se détacha de la cheminée et tomba dans l'âtre, avec un bruit de plâtras. Hourdou se leva.

— Moi, je n'en peux plus, cria-t-il. Je n'en peux plus, dans cette baraque où tout craque, où tout remue, où tout se décroche. On peut pas dire que je suis un gars qui a peur... (il frappa un coup sourd sur sa poitrine). ... Eh bien ça, c'est pas supportable... Maréchal des logis, est-ce que je peux aller faire un tour?

— Non, répondit le sous-officier. Je vous ordonne de rester ici. C'est compris?

Hourdou continua à faire les cent pas. Il allait vers le fond de la maison, remuait un meuble, se cognait aux portes; au bout d'un moment, il parut s'être calmé, et le silence retomba. Mais peu après, on entendit à nouveau des pas au premier étage.

— Hourdou! cria le sous-officier.

— C'est pas Hourdou, c'est Butel, maréchal des logis. Ce coup-ci, je l'ai trouvée, la gnole. Vous allez voir ça.

Butel redescendit.

— Allez, les gars, amenez vos quarts... Soyez sans crainte, c'est de la bonne...

— Butel! ça suffit! dit le maréchal des logis. Butel, je te préviens que si tu es saoul... Butel!

Le faisceau bleu de la lampe éclaira Butel. Celui-ci buvait, au goulot, avec des gloussements de joie. Le sous-officier, d'une tape, envoya la bouteille éclater sur le sol.

Butel resta un instant hébété.

— Ah! maréchal des logis... ah! maréchal des logis... c'est pas des choses à faire à un homme...

Instinctivement, le sous-officier recula.

— Allons! Allons! Butel, dit le brigadier Martin.

Butel poussa un grand ahan sourd, comme si sa colère était montée du fond de la terre avant de lui sortir par la gorge. La lampe s'éteignit, et Butel resta le poing dans le vide, respirant l'odeur de l'alcool qui s'élevait du carrelage...

C'est alors que les cloches de l'église se mirent à sonner. Ce fut d'abord un tintement unique, un grand coup de bronze qui tomba du clocher et se répandit dans l'air gelé. Puis un second, puis un troisième. Puis le silence.

De nouveau un coup, deux coups, trois coups, avec de longues vibrations qui se prolongeaient... Le sous-officier ralluma. Les hommes se regardèrent. Butel avait oublié sa colère; tout le monde avait oublié.

Il y eut encore une série de trois coups séparés, et les cloches alors sonnèrent à la volée, toutes ensemble, une immense volée qui semblait partir de la maison d'à côté.

— L'angélus, dit Butel d'une voix blanche. L'angélus à minuit... l'angélus du diable...

— On dit que les cloches se mettent à battre, des fois, les nuits de tempête, dit Cruzet sans assurance.

— Les cloches ne sonnent pas toutes seules quand il n'y a pas de vent, dit un autre. Et même le vent ne peut pas sonner en angélus.

— Les Allemands sont dans le village, les gars, dit le brigadier Martin.

— Allez! à vos armes! commanda Lalande.

Ils s'affolèrent un peu en cherchant leurs fusils.

— Mais s'ils sont dans le village, dit soudain Chambiron, pourquoi sonnent-ils comme ça? Vous ne croyez pas, maréchal des logis, que c'est encore un de leurs coups pour nous impressionner, et qu'ils vont nous canarder quand on va sortir?

— On va bien voir, répondit Lalande. Allez! en ordre de patrouille, par la porte de derrière!

Butel saisit le sous-officier au bras, aussi rudement que s'il avait voulu lui faire mal.

— Non, maréchal des logis, laissez-moi passer devant.

Il aurait voulu ajouter : « A cause de la bouteille », mais il ne savait pas comment le dire.

La porte s'ouvrit, et le son des cloches entra plus clair, plus terrifiant.

— Voilà qu'ils sonnent en sortie de messe, maintenant, dit Butel.

Il fit le signe de croix, vite, en se frappant le front et le cœur, s'élança dans la cour et se colla contre un mur.

— Vous pouvez venir les gars, dit-il un instant après, il n'y a personne.

A mesure qu'ils approchaient de l'église, le tintamarre croissait. L'air tintait comme une tôle contre leurs oreilles.

« Mais combien sont-ils à sonner? » se demandaient Butel, Cruzet et Chambiron.

Le groupe, séparé en deux, contournait la grand-place, une escouade par la droite, l'autre par la gauche, d'un mouvement lent et simultané; l'église était au bout, et l'on distinguait le porche sombre entre les arbres et les grilles du cimetière avec les croix, dans l'ombre. Le carillon se ralentit et cessa.

D'instinct, les deux escouades s'arrêtèrent. L'atmosphère semblait avoir brusquement changé de densité; le silence ne dissipait pas l'angoisse, bien au contraire. Tout était muet, le village, l'église. Et Diriadec, le Breton, qui ne disait jamais rien, n'était pas loin de croire que c'étaient les défunts qui avaient tiré les cloches.

Sur un ordre du sous-officier, les escouades reprirent leur marche. Le brigadier Cruzet, au coin d'une ruelle, se retourna pour voir si ses hommes suivaient. En ramenant le regard devant lui, il se trouva nez à nez avec un Allemand. L'un et l'autre eurent le même sursaut; l'Allemand, d'un haut-le-corps, rentra dans sa ruelle et Cruzet recula contre la muraille.

Il y avait donc bien, cette nuit-là, deux « maisons hantées » dans le village...

Et voilà que les cloches s'étaient remises en branle. Elles sonnaient joyeuses, vivantes, terribles.

Les deux patrouilles tournèrent un moment, cherchant mutuellement à se surprendre. Le combat s'engagea devant la mairie, autour du grand cratère d'eau sombre laissé par la bombe.

Le fusil mirailleur claquait à ras du sol, projetant devant lui une lueur rouge et saccadée.

« Mais pourquoi continuent-ils de sonner? » se demandait, comme chacun, le maréchal des logis Lalande.

Tout à coup, Butel poussa un cri et lâcha son arme.

— Ça y est! dit-il, comme s'il venait de se produire une chose qu'il attendait depuis longtemps.

Il avait reçu une balle dans le bras. Il ne souffrait pas, en tout cas moins qu'il ne l'aurait cru; mais son épaule s'était mise à trembler sans qu'il pût l'arrêter.

De part et d'autre, on continuait de tirailler, un peu

au hasard, dans les coins d'ombre où partait l'illumination brève des coups de feu. Le brigadier Martin eut
le mollet éraflé par une balle. Il y porta la main. Pas de
sang; juste la cuisson d'une brûlure. Le projectile avait
mordu le cuir du houseau, mais pas la chair. « La veine »,
pensa Martin.

On vit alors une grande ombre sans casque se détacher
d'un mur et courir vers la mairie. Une salve l'arrêta;
l'ombre bascula dans le cratère. Instantanément, l'éclai-
rage de la place changea. Toute la surface du cratère
était devenue blanche. Des deux côtés la stupeur fut
égale, et l'on cessa de tirer. Cette pâleur soudaine,
laiteuse, et ce tocsin d'enfer qui ne cessait pas, tout cela
n'était pas normal. Plus d'un en fut à se demander si
c'était bien un homme qu'on avait tué, et s'il ne commençait pas à y avoir vraiment du surnaturel dans le
village.

Peu après, la patrouille allemande se replia, emportant deux blessés. On tira encore quelques coups de feu
dans la nuit, et les Français se retrouvèrent seuls.

— Ça sonne toujours. C'est donc pas les Fritz, dit
Chambiron.

Mais personne maintenant ne se sentait plus le courage d'aller voir ce qui se passait dans l'église.

En longeant à nouveau le cratère, Diriadec, sans
rien dire, tâta la surface, du plus loin qu'il put, avec la
crosse de son fusil. Il rencontra la glace. C'était bien un
homme qui était tombé dedans. L'eau s'était gelée d'un
coup, sous la chute du corps. Diriadec se rappela avoir
vu cela quelquefois, dans son pays, l'hiver, quand le
thermomètre marquait moins trois, moins quatre, et
qu'on jetait une pierre dans les mares pas encore prises.

Le groupe revint vers la maison, rentra par la porte de derrière et se barricada de nouveau. On fit un pansement à Butel. Il avait l'air de bien se porter; il parlait; il était même le seul capable de plaisanter.

— Ah! Si on ne m'avait pas foutu en l'air ma bonne gnole; c'est maintenant qu'elle me ferait du bien.

Mais son épaule tremblait; il n'y avait rien à faire pour l'arrêter.

Pendant qu'on achevait de lui bander le bras, les cloches lancèrent ensemble une longue volée, puis décrurent de force, comme abandonnées à leur propre mouvement. La cloche moyenne s'arrêta d'abord, puis la petite. Le bourdon mourut le dernier, laissant une longue vibration qui dura longtemps après qu'il se fut tu.

— Je n'y comprends rien, disait le maréchal des logis. Jamais les Allemands n'attaquent à cette heure-là. Ils font comme nous; ils attendent l'aube pour attaquer les postes, au moment du départ. Ce sont les cloches qui les ont fait sortir, eux aussi. Ils nous seraient sûrement tombés dessus, au petit matin...

Les hommes mangeaient un morceau, parce que la faim est plus forte que tout; mais ils mangeaient en silence. Soudain, il y eut du bruit à la porte de derrière.

— Ah! non, ça ne va pas recommencer! s'écria le brigadier Cruzet.

Quelqu'un voulait entrer, poussait la porte, frappait.

— Eh! les copains! Ouvrez!

— Voyons! tout le monde est là? demanda Lalande, la main devant sa lampe.

Il n'eut pas le temps de chercher. La porte venait de céder; elle s'effondra, avec le banc qui la barricadait, d'une pièce. Une ombre énorme apparut dans le fond de la maison, et cette ombre devint Remi Hourdou qui avançait en étirant les bras.

— Ah! ça fait du bien, les gars, pas vrai, s'écria-t-il. Mais pourquoi vous m'avez bouclé la porte?

Le sous-officier mit un temps avant de répondre.

— Quand es-tu sorti? demanda-t-il.

— Ben... quand vous m'avez dit de ne pas le faire, maréchal des logis. Et puis, quand j'ai été dehors, j'ai pensé en moi-même : « Tiens! Je vais aller sonner un coup pour les copains. » Histoire de chasser les mauvaises idées qui tournent dans la tête. Ça m'a rappelé le temps où j'étais enfant de chœur!

Et le grand Remi Hourdou, la forte tête de l'escadron — trois condamnations dans le civil, et soixante-dix jours de prison dans le militaire, mais jamais par mauvaise intention —, se mit à rire.

Les hommes se regardaient. Dans l'agitation qui avait suivi l'incident de la bouteille, aucun n'avait remarqué l'absence de Hourdou.

— Et toi, mon salopard, tu n'as rien entendu, n'est-ce pas, pendant que tu sonnais? demanda le sous-officier. Je t'en foutrai de l'enfant de chœur moi!

Alors Diriadec, le Breton, qui n'avait pas ouvert la bouche depuis douze heures, dit d'une voix très posée :

— Dans le fond, maréchal des logis, ils y étaient dans le village, les Allemands. Alors, sans Hourdou, peut-être bien...

Il avait assez parlé pour la journée et n'acheva pas.

MOURLOT

A Aymar de Dampierre.

MOURLOT était en train d'essuyer un side-car. Il faisait cela soigneusement, honnêtement, comme il aurait nettoyé sa carriole, dans sa ferme de Bretagne. Un officier s'approcha.

— Comment t'appelles-tu?

— Mourlot, mon colonel.

Mourlot s'était redressé, mais même au garde-à-vous, il n'arrivait pas à grandir : il restait tassé comme une motte de terre.

— A partir de demain, tu conduiras ma voiture.

Une expression, rare chez Mourlot, de fierté, ou de joie peut-être, passa sur son visage qui portait la greffe des enfances pénibles. Il répondit :

— Bien, mon colonel.

Mais le colonel, qui ne donnait jamais d'explications, s'éloignait déjà, et Mourlot, qui n'avait pas coutume de faire des gestes inutiles, arrêta son salut à mi-chemin.

Et c'est ainsi qu'il devint, sans savoir pourquoi, le chauffeur du colonel.

Le lieutenant-colonel Auvray de Vigneul montait chaque matin aux avant-postes. Les premiers jours, le secteur se trouvant parfaitement calme, il était venu

en voiture; et depuis il continuait. Ce cavalier n'avait
pas le goût des longues marches. Il se faisait conduire
par Mourlot jusque sur la ligne de feu, même quand
l'ennemi était à moins de deux cents mètres. La portière
s'ouvrait; on voyait apparaître un bonnet de police,
un stick et une bande molletière claire; puis le colonel,
lentement, descendait. Lorsqu'un obus tombait, il
annonçait le calibre comme il eût donné les origines
d'un cheval.

Plus d'une fois, la grande automobile verte avait
servi de cible, et Mourlot, en revenant, disait :

— Mon colonel, j'ai bien cru qu'aujourd'hui c'était
le coup dur.

— Mourlot, répliquait le colonel, tu sais pourquoi
je t'ai choisi!

Et Mourlot, qui n'en savait rien, mais à qui il suffisait
d'avoir été choisi, répondait :

— Oui, mon colonel!

Il n'était pas de soir où quelqu'un ne déclarât à
l'état-major du corps d'armée :

— Auvray est fou. Il finira par se faire tuer. On
devrait lui interdire...

Mais le lendemain, la voiture verte remontait aux
lignes, car chacun sentait que le groupe de reconnaissance aurait sans doute tenu moins ferme si les hommes
n'avaient pas vu sortir, par la portière ouverte, le bonnet
de police, le stick et la guêtre claire du lieutenant-
colonel Auvray de Vigneul.

Le 10 mai, le groupe Auvray, précédant le corps
d'armée, fit mouvement vers la Belgique. Au troisième
matin, le contact n'était pas encore pris. C'était l'heure
de la halte. C'était aussi l'heure où le colonel avait

l'habitude d'aller voir ce qui se passait en avant. Il dit
à Mourlot d'accélérer pour rejoindre l'unité de tête.

L'escadron motocycliste s'était installé dans un
champ de pommiers, en bordure de la route ; les side-
cars, rangés sous les arbres, étaient recouverts par les
branches en fleur. Les hommes, assis auprès, mangeaient
à grosses bouchées ; ils avaient dénoué leurs larges jugu-
laires de cuir et relevé leurs lunettes de mica sur leurs
casques. Les membres, longtemps recroquevillés sur les
machines, se détendaient ; les visages, brûlants de poussière et de vent, s'éteignaient.

On vit apparaître la guêtre claire et le calot ; et
presque au même instant un petit triangle noir se dessina
dans le ciel. Et derrière ce triangle, un autre, et derrière
cet autre, un troisième. Les hommes s'entre-regardèrent,
les lèvres immobilisées dans un sourire de surprise.

Brusquement, le bruit les jeta contre terre. C'était
sûr, l'un des avions allait tomber sur eux. Un vingtième
de seconde, le cœur arrêté, ils attendirent l'écrasement,
au bout de ce tonnerre vertical. La pensée en mots
s'était arrêtée ; il ne leur restait plus que la pensée en
images. Toute leur vie, si l'avion ne les broyait pas,
ils reverraient cette herbe contre leurs yeux. Jamais
ils n'auraient cru qu'il y eût autant de couleurs dans
l'herbe.

Un crépitement courut sur le sol. Et les hommes
s'enfoncèrent davantage la tête dans la prairie, parce
que ce qui se passait au-dessus d'eux n'était pas la volonté
vague du hasard, mais la mauvaise volonté certaine
des hommes. Cela fit revenir la pensée en mots, et tout
le champ se dit en même temps : « La mitrailleuse ! »

L'avion reprenait de la hauteur ; mais déjà le suivant,

dans le même fracas, était en bas. Un second crépitement courut après le premier, et un troisième après
le second.

Ensuite les vrombissements, dans l'espace, parurent
du silence. On entendit un cri stupéfait de blessé. Les
muscles se relâchèrent un instant, puis se bloquèrent
à nouveau. Quelques hommes qui avaient relevé la tête
l'enfouirent aussitôt. Le deuxième triangle se décrochait du ciel.

Ce crépitement qui recommençait, cherchant les
cailloux sous les plantes, ne ressemblait que de loin aux
termes de comparaison traditionnels : la crécelle, ou le
moulin à café. Cela pouvait être aussi bien la batteuse
quand elle s'affole en brisant les épis, ou bien une grêle
géante battant contre les vitres de la vie, ou encore le
bruit monstrueusement grossi d'une feuille de papier
qu'on déchire.

Un troisième, un quatrième... un cinquième triangle
était en train de remonter.

Mourlot, aplati, ne cherchait aucune image; il tremblait, mordait la terre et se disait : « On va crever. »

Ayant décrit une courbe, les premiers avions revinrent. Et ce fut alors la bombe.

Il y eut un sifflement de scie mécanique, quand
elle attaque le bois, puis une déflagration, un choc lourd
que chacun perçut dans le ventre, et un autre sifflement,
et un autre choc; et l'attente, entre les bombes, devint
beaucoup plus longue que le temps. Les mitrailleuses
dans l'intervalle ne semblaient plus que des métronomes
réglés à une cadence démentielle.

Le champ se mit à vivre différemment. Cent trente
voix intérieures collées à lui, cent trente cris sans voix lui

confiaient : « Celle-là est pour moi ! Celle-là est pour moi ! »

Et cent trente corps attendaient, après chaque
déflagration, l'éclat qui allait les pénétrer. D'instinct,
les bras s'étaient resserrés autour des casques; par ce
mince rempart de chair, les hommes espéraient sauve-
garder leur cerveau, leur conscience.

Il n'était pas nécessaire d'être farouchement dévot
pour prier : « Mon Dieu, protégez-moi ! »

Ce n'était plus seulement le vouloir des hommes
qui les visait d'en haut; c'était la terre qui sautait
sous eux, qui les rejetait.

Après chaque bombe, ils étaient quelques-uns qui
n'avaient plus à attendre la prochaine explosion. Les
autres, entre les coups du sol, entendaient les coups
accélérés de leur sang.

Pendant une demi-accalmie, tandis qu'un triangle
achevait sa boucle, les hommes perçurent, lointaine, la
voix du colonel qui commandait, comme pour un
assouplissement au manège :

— Couchez-vous donc sur le dos !

Mais cela n'entraîna aucun geste, parmi les corps
à plat ventre, parce qu'il était impossible en cet instant
qu'une voix humaine fût autre que celle d'un blessé.

« Ça y est ! pensa le sous-lieutenant Galtier. Le colonel
est touché. »

Mais déjà la voix reprenait :

— Alors ? On n'obéit plus ? Mourlot ! Couche-toi sur
le dos !

Mourlot, docile, fit un gros effort, et, surpris de sentir
ses muscles obéir encore, il se tourna sur le côté. En
même temps il rouvrit les yeux. Il vit un avion fondre
sur lui. Alors il se recolla à la terre.

— J'ai dit sur le dos!

Mourlot cette fois se retourna complètement. L'avion était passé. Un autre arrivait. Mourlot se dit qu'il allait mourir. Puis il vit l'avion remonter, et il comprit qu'on ne mourait pas plus sur le dos que sur le ventre. Il vit aussi, sur la route, sa grande automobile verte en train de brûler.

Puis, son voisin, Nicolas, soulevant le coude, vit Mourlot qui regardait en l'air. Et il se retourna aussi. Et les voisins de Nicolas en firent autant.

— Allons, mes amis! Tout le monde sur le dos!

Bientôt, de proche en proche, avec des hésitations, des retours au sol, des mouvements patients, imperceptibles, ou bien des accès de courage convulsifs, tous, sous cette tornade de métal, tous, sauf ceux qui ne pourraient plus jamais bouger, firent face au ciel. Ce fut comme une onde circulaire qui s'élargissait autour de Mourlot. Et le champ s'habitua à avoir l'enfer dans les yeux.

Les hommes aperçurent le lieutenant-colonel, debout, très raide, mais qui tapotait nerveusement son mollet avec son stick; à côté de lui le capitaine de Navailles observait les bombardiers à la jumelle. A l'autre bout du champ, adossé contre un arbre, l'adjudant Koueric tirait au pistolet, et rien n'aurait trahi que le vieux Koueric n'était pas dans son état normal s'il n'avait pas pris un pistolet pour tirer sur les avions.

Le sous-lieutenant Galtier se releva.

Les quinze avions au-dessus des arbres continuaient leur ballet noir.

Galtier, qui sortait de l'École, se rappela le règlement, et, courant aux side-cars, il saisit un fusil mitrail-

leur. Il s'efforçait de bien se souvenir. « Quand l'avion
pique sur vous, tirer sans dérive. Quand l'avion pique... »

L'avion piquait sur lui. Galtier visa.

« ... tirer sans dérive! »

Galtier tira. L'avion piquait toujours.

Tout à coup, Galtier ne sentit plus la pesanteur
du fusil mitrailleur. Il voulut toucher ses mains; mais
il n'avait plus de mains. Un poids énorme dans le côté
entraîna son corps sur la gauche, et il tomba en se
répétant : « Quand l'avion... sans dérive... »

Mourlot qui avait vu le sous-lieutenant tirer, puis
tomber, étendit le bras et saisit son mousqueton. Et
Nicolas en fit autant. Et tous deux, à plat dos, se
mirent à tirer contre le ciel.

Le capitaine de Navailles lança un ordre :

— Les gradés aux fusils-mitrailleurs!

On entendit bientôt le claquement régulier de trois
armes automatiques.

La voix du colonel s'éleva de nouveau.

— Allez, mes enfants! Tirez! Tirez! Mais tirez tous!
Eh bien, Mourlot?

Tout le champ se hérissa d'un autre crépitement,
un crépitement qui montait. Il y eut un hurlement de
joie quand les avions prirent de la hauteur. Toutes les
armes de l'escadron tiraient ensemble. Les avions
redescendirent, remontèrent, visiblement gênés. Leurs
bombes s'éparpillaient davantage. Ils revinrent encore
deux fois, trois fois, mais moins bas. Et puis le tonnerre
remonta au ciel, et un à un les triangles disparurent.

— Ça a duré vingt-sept minutes, annonça le colonel
en regardant son bracelet-montre, comme s'il venait

3

de chronométrer un parcours de concours hippique.

Sa voix parut énorme dans le silence.

— Vous avez eu une belle idée, mon colonel, en les faisant se retourner, dit le capitaine de Navailles.

Et il remit ses jumelles dans leur étui.

Les hommes se relevaient. La peur, dans leurs masques de poudre, de terre et de poussière, avait sculpté des masques de tragédie.

Un réservoir sauta, et quelques soldats se plaquèrent à nouveau. Le sol, ouvert de cratères, fumait. Le champ n'était plus qu'une jonchée de fleurs, de métal et de râles. Les branches étaient mêlées à l'acier, aux étoffes, à la chair. Des feuilles continuaient à pleuvoir, comme des gouttes après l'orage. Une motocyclette, étrangement tordue, pendait d'un pommier au tronc éclaté.

Le soldat qui se remettait debout ne comprenait pas très bien quel choix avait été fait, ni pourquoi son camarade à côté ne remuait plus. Un fou courait en rond, autour d'un écheveau de side-cars emmêlés.

Le tiers de l'escadron était anéanti.

Soudain le colonel s'entendit appeler d'en bas. C'était Nicolas qui se traînait, la jambe blessée.

— Mon colonel! mon colonel! Mourlot! Mourlot!

— Eh bien quoi, Mourlot?

Et le colonel se dirigea vers l'arbre que lui désignait Nicolas.

Mourlot était étendu, avec son visage d'enfance pénible tourné vers les nuages. Une giclée de balles lui avait dessiné un collier rouge, sur la poitrine.

— Cela vaut mieux que si c'était sur le dos, dit à haute voix le lieutenant-colonel.

Puis, doucement, comme pour lui-même, il ajouta :
— Mourlot! Tu sais pourquoi je t'avais choisi?...
Et Mourlot, qui n'était pas tout à fait mort, hoqueta :
— Oui, mon colonel.

PATROUILLE DE NUIT

Il était interdit aux officiers de se déplacer seuls, entre les lignes, après la fin du jour.

Le lieutenant Serval, qui achevait de visiter ses avant-postes, sortit de la ferme isolée où était installé le groupe de combat du maréchal des logis Dercheu.

— Bigre! La nuit est vite tombée, dit Serval.

— Je vais appeler deux hommes pour vous accompagner, mon lieutenant, répondit le sous-officier.

— Non, non, Dercheu, pas aujourd'hui. Voilà trois nuits que personne, ici, n'a dormi. Les hommes sont assez fatigués comme cela. Je rentrerai seul.

— Ce n'est pas sérieux, mon lieutenant, insista Dercheu. Le coin est plein de patrouilles.

— Ne vous en faites pas. Je connais le chemin. On y voit très suffisamment. Et puis, j'ai mon colt...

Et d'un geste familier, il frappa de la paume son étui-pistolet.

C'était à la fin de janvier. Le ciel était noir, mais la neige éclairait la nuit. Serval, une peau de mouton pardessus sa vareuse, marchait dans le fossé bordant la route, pour enfouir davantage la résonance de ses pas.

« Deux kilomètres, ce n'est rien, pensait-il. Tandis

que pour les hommes, ça en aurait fait quatre... »

Parfois, sa grosse chaussure écrasait une touffe gelée et, malgré lui, l'officier tressaillait à ce craquement d'herbe. La neige et l'ombre augmentaient les distances.

« Après le hêtre, la cabane; après la cabane, le poteau blanc; après le poteau, le tournant... »

Serval voyait ses jalons familiers sortir lentement de la nuit.

Le tournant était certainement le point le plus dangereux du trajet. A plusieurs reprises, des accrochages de patrouilles y avaient eu lieu. Serval s'arrêta un instant pour observer.

Rien.

Il repartit. Il portait son colt sur le ventre, bien au milieu du ceinturon, avec le rabat de l'étui retourné pour pouvoir plus rapidement saisir l'arme.

C'était un pistolet automatique de très gros calibre, auquel Serval tenait beaucoup, parce qu'il avait appartenu à son père pendant l'autre guerre.

« Un homme touché, même à la main, d'une de ces balles-là, en tombe raide de douleur, avait dit le commandant Serval en remettant le colt à son fils. Prends-en soin. Il m'a sauvé deux fois, dans de sales moments. Et rapporte-le comme je l'ai rapporté. C'est tout ce que je te souhaite. »

Le lieutenant, tout en marchant, passa la main sur la crosse striée.

Le tournant était franchi. Ce n'était pas la peine d'avoir marché plus vite, ni d'avoir éprouvé cette crispation du torse...

Maintenant, Serval apercevait la haie. Après la haie,

ce serait un mur en ruine, perpendiculaire au chemin.

A quelques mètres du mur, le lieutenant se plaqua brusquement dans le fossé, en dégageant son pistolet.

Un point de lumière venait d'apparaître sur la gauche, la lueur voilée d'une lampe de poche qu'on allume à ras de terre et qu'on éteint aussitôt.

C'était suffisant pour Serval.

— Patrouille ennemie !

Il fut surpris d'avoir inconsciemment chuchoté ces deux mots, comme s'il avait eu quelqu'un à prévenir, derrière lui.

Il chercha à évaluer la distance : cent mètres environ. La patrouille n'avait pas pu l'apercevoir, puisque, depuis le tournant, il avait cheminé à l'abri de la haie. Il passerait quelques minutes ainsi, dans son trou, et après il pourrait repartir. A moins que la patrouille...

Il y eut une deuxième lueur, plus proche celle-ci. La patrouille avançait sensiblement dans sa direction. Combien d'hommes ?

Avec des efforts de marin, il discerna, dans la traîtrise neigeuse du champ, trois formes vagues courbées au ras d'un silo, trois ombres qui se suivaient comme des dos de squales.

Serval abaissa le cran de sûreté de son arme.

Une lueur de nouveau. Le silo aboutissait à la route, un peu après le mur. La patrouille ennemie allait déboucher là. Serval, enfoui dans le fossé, se savait invisible : une peau de mouton dans la neige...

« L'avantage est à celui qui tire le premier », se dit-il.

D'avance, il se tassa, comme les animaux avant de bondir.

Là-bas, dans la marche des ombres, il y avait eu une hésitation; puis la patrouille, s'étant remise en marche, se trouva cachée par le mur.

L'officier, à présent, guettait la sortie. Il pouvait percevoir les battements de son cœur. Mais il n'avait pas peur.

« Il y a des gens qui ont peur avant, avait-il coutume de dire à ses camarades, d'autres pendant, d'autres après. Moi, j'ai la peur d'après. »

En l'occurrence, il était persuadé, bien que seul contre trois, d'avoir l'avantage. A moins... à moins qu'une seconde patrouille n'arrivât derrière lui, pour reconnaître le mur par l'autre face.

C'était une manœuvre parfaitement logique, comme il aurait pu en décider lui-même. Or cette seconde patrouille, si elle existait, n'avait d'autre cheminement que le fossé où il se trouvait.

Il avait une envie aiguë de regarder derrière lui. Mais bouger en ce moment, c'était se trahir; il se contenta d'enfoncer ses souliers dans la neige pour qu'on n'en pût voir briller les clous.

Là-bas, à une trentaine de mètres, une ombre venait de réapparaître, au bord du chemin. Serval distinguait très bien les épaules, le casque trapu.

L'ombre se coula dans le fossé, fit un geste du bras, et les deux autres s'engagèrent à sa suite.

Le lieutenant voyait avancer la patrouille vers lui; il percevait le frôlement lent des bottes dans la neige.

« Je vais les avoir, pensait-il, je vais les avoir! »

Il avait complètement oublié l'éventualité d'une autre patrouille; il était entièrement pris par cette partie de vie et de mort qui allait se jouer entre les ombres et lui. Il se savait excellent tireur, et évaluait les chances.

« Ils sont trois. J'ai neuf balles dans mon chargeur. Et l'avantage de la surprise. »

Il y eut un heurt de métal, chez les ombres. Serval tressaillit.

« L'imbécile! »

Il avait pensé cela avec désintéressement comme on hausse les épaules devant la faute d'un partenaire.

« Quand ils seront au coin du mur, pas avant. Si je tire avant, je peux les manquer et ils ont le temps de fuir. »

Le lieutenant ne voyait vraiment bien que la première ombre. Derrière elle, les autres apparaissaient par fragments : un casque, un torse, une jambe...

« Si seulement ils pouvaient ne pas rester en file! »

Voici que, comme pour lui complaire, les ombres se rassemblaient. Elles étaient deux maintenant, marchant côte à côte dans le fossé.

« Au coin du mur... quatre balles dans le tas. Je saute; encore trois balles. Je ferai peut-être un prisonnier. »

Le moment de tirer approchait.

« Au coin du mur », se répéta Serval pour contenir son impatience.

A l'abri de sa manche gauche, il éleva son colt.

Le battement de son bracelet-montre lui parut terrible. Il sentit que son avant-bras qui tenait l'arme se crispait. Il appliqua toute sa volonté à lui rendre sa souplesse. Il assura la deuxième phalange de son index sur la détente. Encore quatre mètres... encore trois...

La patrouille s'était arrêtée. Serval entendait les chuchotements. « Oh oui... faire au moins un prisonnier. »

Il allait tirer quand la première ombre sauta sur la route, la franchit rapidement et se coula dans le fossé parallèle. Les autres la rejoignirent.

Le lieutenant pensa qu'il était tourné. L'avantage changeait de camp. Il se souleva et vit qu'il s'était trompé : dans le champ d'en face, la patrouille avait repris sa marche silencieuse.

Il y eut une lueur, puis une autre, puis plus rien; et les dos de squales disparurent dans les vagues immobiles de la neige.

Le lieutenant Serval rentra furieux au poste de commandement. Il raconta son histoire.

— Et comme un imbécile, j'ai trop attendu pour tirer. Et ils m'ont filé entre les doigts.

— Une belle croix de guerre manquée! lui dit en riant le sous-lieutenant Dumontier.

Quelques jours plus tard, au cantonnement de repos, les officiers avaient installé une cible contre un mur, dans la cour du mess.

— Allez, Serval, à vous l'honneur, lui dit le capitaine. Figurez-vous que vous êtes au coin de votre fameux mur.

Le lieutenant se plaça à quinze pas de la cible. Il éleva son pistolet à hauteur de l'épaule et abaissa lentement le bras, en visant. Un fort déclic se fit entendre.

Dumontier se retourna.

— Eh bien, mon cher, avec un bruit pareil, vous vous seriez fait repérer, l'autre jour.

Serval était devenu très pâle, et sa main tremblait.

— Alors, mon vieux, vous ne tirez pas? demanda le capitaine. Qu'est-ce qui vous arrive?

— Ce qui m'arrive, mon capitaine? Une de ces peurs d'après comme je n'en ai jamais eu. Le coup n'est pas parti.

Et, sortant son couteau, il se mit à dévisser nerveusement la crosse de son arme. Le ressort du colt venait de se casser.

LE CHEVALIER

A Jean-Pierre Le Mée.

— **M**ONSIEUR le marquis devrait emporter ses
bottes.

— Vous croyez, Albert?

M. le marquis de Bourcieux de Nauvoisis était en
train de rédiger son testament; il était assis devant
son bureau et ses pieds minuscules se balançaient
dans le vide à quelques centimètres du sol.

— Ah! cette mobilisation... quel contretemps! ajouta-
t-il.

— D'autant plus, reprit le valet de chambre, que
Monsieur le marquis ne trouvera certainement pas sa
pointure dans les chaussures de l'armée. D'ailleurs, il
est marqué sur les affiches qu'on remboursera les mobi-
lisés qui se seront munis de leurs chaussures personnelles.

— Bon, eh bien, c'est entendu. Et puis... ah oui!
décrochez donc le sabre qui est dans la galerie.

— Celui de feu Monsieur le marquis?

— C'est ça. Parce que je me rappelle, lorsque j'étais
au régiment, les sabres réglementaires étaient trop
lourds pour moi. Et aussi, Albert, ne partez pas...
ma croix... n'oubliez pas de sortir ma croix!...

Le marquis de Bourcieux, qui atteignait la quarantaine, était vraiment très petit. Il avait beau marcher sur de hauts talons et bien redresser ses cheveux légers, frisés, et séparés au milieu par une jolie raie, il ne parvenait pas à se donner la taille d'un homme normal.

Il se remit à la rédaction de son testament qui commençait par ces mots : « Au moment de partir pour les armées de la République — où l'on ne sait jamais ce qui peut vous arriver... »

Par ce testament, le marquis, célibataire, léguait à son neveu le vicomte de Nauvoisis la totalité de sa fortune, « ou plutôt de ce que les notaires, ces coquins, en avaient laissé », ce qui revenait à dire qu'avec les hypothèques et autres arriérés il ne léguait à peu près rien.

Il fit couler de sa petite main courte et potelée un peu de cire sur l'enveloppe, en répétant :

— Ah! cette mobilisation... quel contretemps!

Puis muni de ses deux meilleures paires de bottes et du sabre de son père, il prit le chemin du dépôt de cavalerie de Carcassonne. Le marquis était sous-officier de réserve. Dès son arrivée, on lui donna à remplir une fiche de renseignements. Il écrivit ses noms en face du mot : *Nom*, et ses prénoms, Urbain, Louis, Marie, en face du mot : *Prénoms*. Puis il chercha vainement la place des titres et distinctions honorifiques. Alors en regard de la mention : *Profession*, il marqua : chevalier de Malte.

Ce fut tout pour cette première journée.

Personne ne parla de lui rembourser ses bottes, ce que d'ailleurs il n'eût pas accepté. Mais il en fit la remarque pour le principe; les intendants militaires, il n'était pas difficile de s'en rendre compte, devaient être des coquins.

En revanche on le força de prendre un sabre pesant et fort peu maniable bien qu'il eût déclaré s'être muni du sien.

Deux jours plus tard, comme il traversait la cour du quartier, un commandant sanguin l'interpella :

— Dites-moi, mon ami, vous avez appartenu au Cadre noir?

— Non, mon commandant.

— Vous êtes un ancien spahi?

— Non, mon commandant.

— Alors pourquoi portez-vous des éperons dorés?

— J'y ai droit, mon commandant, je suis chevalier de Malte.

— Ah! c'est vous le... profession : chevalier de Malte? Eh bien, Monsieur, je regrette! Chevalier de Malte, ce n'est pas militaire?

— Je vous demande pardon, mon commandant : l'ordre de Malte est au contraire un ordre religieux militaire...

— Oui, si vous voulez. C'était peut-être militaire, mais enfin pour moi c'est quand même civil. Je n'ai pas à entrer dans ces considérations-là. Vous voudrez bien mettre des éperons nickelés, comme tout le monde.

Le marquis de Bourcieux renonça à expliquer à ce butor qui avait barre sur lui que, lorsqu'on l'avait fait chevalier *au nom de Monsieur saint Georges, vigilant et pacifique et en l'honneur de la chevalerie,* on lui avait passé aux pieds les éperons d'or comme étant *du plus riche métal qui se puisse trouver et comparer à l'honneur.*

Le marquis aurait pu citer ainsi cinquante lignes des anciens textes; mais ce sont choses malaisées à dire lorsque l'on est au garde-à-vous.

Il changea donc d'éperons, mais il tint à prouver qu'il n'abdiquait point, et il accrocha sa croix de Malte sur sa vareuse.

Cette croix causa quelque confusion dans la garnison. La première fois que le maréchal des logis de Bourcieux, la portant, passa le corps de garde, la sentinelle lui présenta les armes. A plusieurs reprises, en ville, à la nuit tombée, des officiers le saluèrent les premiers n'ayant aperçu de loin que cette croix blanche et ne sachant pas à qui ils avaient affaire.

Au dépôt, les hommes racontaient qu'il avait été officier dans une armée étrangère, et les officiers évitaient de s'adresser à lui parce qu'il était gênant de donner des ordres et de faire des remontrances à un monsieur qui avait ses seize quartiers de noblesse accrochés sur la poitrine.

Tout de même, un jour, le capitaine d'Haquinville l'appela et lui dit :

— Écoutez, Bourcieux, vous ne pourriez pas porter simplement un ruban... comme nous tous, pour nos décorations?

— Mon capitaine, répondit le marquis, je suis chevalier de justice et de dévotion et ma croix seule...

— Oui, c'est entendu, interrompit le capitaine, mais je vous assure, Bourcieux, qu'ici c'est un peu ridicule.

— Mon capitaine, je m'étonne d'entendre ces mots dans votre bouche!

— Écoutez, Bourcieux, faites ce que je vous dis. Vous comprenez, les chevaliers de Malte maintenant... c'est plutôt désuet.

— Monsieur, en m'offensant vous insultez l'ordre souverain de Saint-Jean de Jérusalem.

— Ah! Si vous le prenez sur ce ton... Apprenez qu'ici vous n'êtes pas dans une commanderie, vous êtes au quartier!

— Monsieur, je suis ici parmi des coquins!

— Monsieur, vous aurez quinze jours d'arrêts!

— Monsieur, je vous enverrai mes témoins!

Le colonel arrangea les choses. Il n'y eut pas de duel, ni d'arrêts non plus, et le marquis fut envoyé dans les bureaux. Au bout de quelque temps il déclara qu'il était venu pour faire la guerre et non pour empiler des « états néant ».

On le porta sur les rôles du premier escadron en partance.

« J'aurais pu attendre quinze jours de plus pour faire ma demande », pensa Bourcieux en constatant qu'il était placé sous les ordres du capitaine d'Haquinville.

Le capitaine s'abstint de toute remarque envers la croix que le chevalier s'obstinait à porter; simplement il fit affecter à celui-ci le plus grand cheval de l'escadron.

Le marquis était fort bon cavalier, mais chaque fois qu'il voulait monter, il devait se faire soulever par le pied, comme les dames, ce qui portait à sourire. Mais lui-même n'y prenait pas garde, car c'était là une façon naturelle pour un gentilhomme de se mettre en selle.

*
**

Dès les premiers combats, le maréchal des logis de Bourcieux de Nauvoisis fit l'étonnement de l'escadron. Il descendait toujours de cheval le dernier pour s'éviter, en cas de contre-ordre, la peine de remonter. Quand enfin il avait mis pied à terre, il commençait par décrocher de la selle le sabre paternel, dont il ne se séparait jamais.

— Mais enfin, Bourcieux, qu'est-ce que vous fichez avec votre cure-dents, criait le capitaine, pendant que les pelotons allaient prendre position et que les fusils mitrailleurs commençaient à claquer.

Le marquis ne répondait pas et continuait, sans se presser, la tête haute, le casque légèrement en arrière, sa croix de Malte toute blanche sur la poitrine et la garde de son sabre lui arrivant sous l'aisselle. Jamais il n'ôta ses gants, jamais il ne cessa de vouvoyer ses hommes, jamais il ne se coucha, même sous les bombardements les plus drus. Une fois pourtant il fit mine de décrotter ses bottes. Il portait sur lui une sorte de chance. Quand on lui en parlait, il haussait les épaules. Cette guerre, au fond, ne l'intéressait pas.

— On ne sait pas qui l'on tue, on ne sait pas qui vous tue, disait-il. On reçoit des obus qui viennent du diable. L'ennemi est au-dessus, à côté ou derrière; je voudrais bien savoir qui pourrait mourir aujourd'hui face à l'ennemi.

Un soir, l'escadron en retraite, déjà réduit, arriva dans un village abandonné où il devait prendre position. Les portes, les fenêtres étaient restées ouvertes. C'était au coucher du soleil. Des rayons rouges, violents, ricochant sur les vitres, éclairaient l'intérieur en désordre des maisons. On voyait dans les cours de ferme des meubles qui n'avaient pu être emportés. Plus les maisons étaient pauvres et plus elles avaient été quittées

tard. La patrouille envoyée en avant n'avait rien signalé
de suspect.

Comme le capitaine et les hommes de son groupe de
commandement arrivaient au bout de la grand-place,
ils reçurent une volée de mitraillette qui blessa griè-
vement deux cavaliers. Aussitôt le village fut fouillé.
L'ennemi devait déjà s'y trouver. Chaque ruelle fut
explorée. On tira quelques coups de feu dans les sou-
piraux, mais sans réponse. Tout était parfaitement
vide. Le capitaine revint sur la grand-place, auprès de
l'église. Rien. Il donna des ordres pour l'organisation
du village.

— Ne perdons pas notre temps pour un malheureux
bougre qui a déjà dû déguerpir, dit-il.

A ce moment une nouvelle décharge de mitraillette
retentit, manquant de peu l'adjudant d'escadron.
Le capitaine et ceux qui l'entouraient se collèrent
contre le mur de l'église, dans le renfoncement d'un
porche latéral.

— Ne restez pas là, mon capitaine. Ne restez pas
là, cria un homme. Ça vient du presbytère.

Le presbytère fut contourné, cerné, investi, visité
de la cave au grenier. Les hommes apparurent aux
fenêtres. Ils firent signe qu'il n'y avait personne. Mais
juste alors, une troisième volée de balles étoila la
façade.

— Ça c'est trop fort, s'écria-t-on. Celui-là, on ne
sait pas où il est, mais il a un fameux culot! Il faudrait
tout de même le trouver.

Les hommes, le capitaine lui-même, commençaient
à être énervés. Le point d'appui pouvait être attaqué
d'un moment à l'autre. Déjà on signalait des moto-

cyclistes ennemis sur une route au loin. Et pendant le combat il y aurait là ce tireur mystérieux au milieu du village, juste au croisement des trois rues principales, arrêtant les liaisons, gênant tout, créant une atmosphère trouble, jetant la confusion quand on avait besoin de calme.

— Ah! le coquin! s'écria tout à coup le maréchal des logis de Bourcieux, qui venait d'être salué d'une rafale en passant à cheval derrière l'église.

Il traversa la place au galop.

— Ah! le coquin! répétait-il.

— Qu'y a-t-il, Bourcieux, vous êtes touché? demanda le capitaine.

— Non, du tout, mon capitaine. Je vous remercie. Mais je tiens notre homme. Il est dans l'église; il tire par les fenêtres du chœur!

— Vous êtes sûr! Eh bien, ça ne va pas être facile de l'avoir.

Le capitaine d'Haquinville contemplait la vieille église campagnarde, trapue, avec son abside gothique percée d'étroites fenêtres aux vitraux sombres, toutes séparées entre elles par d'épais contreforts de pierre.

L'homme à la mitraillette devait se déplacer derrière ces meurtrières et tirer ainsi, tantôt à droite, tantôt à gauche, observant tout, bien à l'abri dans les recoins. Dès qu'on l'attaquerait, il grimperait dans le clocher et ce serait une affaire d'état pour le déloger.

Le capitaine voulait éviter de sacrifier ses hommes, et il n'avait pas non plus de munitions à gaspiller contre ces pierres.

— Si seulement on avait encore des grenades, dit-il.

Il fallait se décider à entrer. Les cavaliers se regar-

daient. Tous, jusqu'à ce jour, avaient été très courageux. Mais ils auraient voulu éviter de se battre dans une
église.

Bourcieux s'avança.

— Mon capitaine, dit-il, voulez-vous me permettre
de régler cette affaire moi-même?

— Que voulez-vous faire?

— Je suis chevalier de Malte, mon capitaine.

— Et alors?

— Alors? J'ai le droit d'entrer à cheval dans les
églises, mon capitaine!

Et sans attendre de réponse, le marquis appela deux
hommes, les fit placer de chaque côté du grand portail,
avec mission d'ouvrir à son commandement. Puis,
devant l'escadron stupéfait, il boutonna ses gants, tira
son sabre.

Il avait le soleil dans le dos, un soleil rouge au ras de
l'horizon qui éclairait le porche et faisait briller l'acier
de la lame.

— Ouvrez, cria-t-il.

Et il s'élança au galop...

Le marquis avait la surprise et le soleil pour lui. Et
puis il avait la chance.

L'homme à la mitraillette s'attendait à tout, sauf à ce
cavalier arrivant sur lui, le sabre en avant, dans une
lumière éblouissante et brutale. Il fut pris de peur et
voulut se retrancher derrière l'autel; il tomba sur les
marches, lâchant son arme.

La surprise, cela dure trois secondes. En trois secondes,
l'homme à terre eut le temps de bien voir le soleil rond,
sanglant, entre les sabots du cheval qui frappaient les
dalles — une de ces visions qu'on pourrait conserver

intacte toute une vie. Il eut le temps de se soulever, de ramasser sa mitraillette. Il avait le doigt sur la détente. Il n'eut pas le temps de tirer. Il avait reçu un coup de pointe en pleine poitrine...

Quand le marquis leva les yeux, il vit dans une niche au-dessus de lui un « Monsieur saint Georges » en pierre, les éperons aux pieds, qui, de sa lance, venait de percer le dragon.

Le marquis comprit alors d'où lui venait sa chance. Il descendit de cheval et mit un genou à terre.

Puis il remonta, tout seul, en s'aidant juste d'un banc.

Il sortit au pas; le soleil, sur sa poitrine, faisait briller sa croix de Malte, et la teintait d'une lueur rose.

Le maréchal des logis de Bourcieux de Nauvoisis, chevalier de justice et de dévotion, ayant salué son capitaine, essuya son sabre dans les feuilles d'un orme qui croissait là.

UNE FILLE BLONDE

L A nuit était tombée lorsqu'on les descendit de l'ambu-
lance. La langue gutturale qu'on parlait autour
d'eux, et à laquelle ils n'entendaient pas mot, contri-
buait à entretenir le sentiment d'irréalité qui les envelop-
pait depuis qu'une zébrure chaude dans les reins, une
montée brutale du sol vers leur face, ou bien leur chute
dans une ombre soudaine, leur avaient juste laissé le
temps de penser : « Ça y est! »

Ensuite, des images mal raccordées liaient d'une
sorte de pointillé, comme sont marquées sur les cartes les
routes incertaines, leur lointain passé d'hommes valides
à ce présent sans densité. Brancardiers en uniformes,
ennemis apparaissant au-dessus d'eux avec des airs
d'exécuteurs — mais à ce moment-là, ils eussent été
saisis d'une espérance fraternelle même à l'approche du
bourreau —, plongées dans le coma, postes de secours
de première ligne, masques de gaz froid ou contact
étrangement peu douloureux des ciseaux de chirurgien
débridant les chairs, coulées de plâtre autour des membres, infirmeries de transit n'offrant aux regards que les
taches de leurs plafonds, chariots dont le roulement
caoutchouté se répercutait dans la nuque, odeur de

formol, d'éther et de linge souillé, obscurité des camions
piquetée seulement des étincelles de la douleur, tout cela
aboutissait à cette infirmière aux seins redoutables et à
cette chambre, d'une blancheur crue, où l'on venait de les
allonger côte à côte.

Sur les huit blessés, deux seulement se connaissaient,
si l'on peut estimer se connaître parce qu'on a appartenu
au même régiment.

Au moins ces deux-là pouvaient-ils citer les mêmes
noms d'officiers, en s'écriant :

— Ah oui! Le grand brun, qui était tellement vache!

Et cela leur autorisait l'illusion bienfaisante de
l'amitié. Failleroy et Louviel s'efforçaient donc de se
faire croire mutuellement qu'ils s'étaient souvent
croisés dans la cour du quartier, et qu'ils avaient bu
côte à côte au comptoir des mêmes bistros, et qu'ils
étaient allés le même jour au même bordel.

— C'est pas toi qui m'as fait retourner parce que mon
manteau n'était pas brossé, une fois que t'étais au poste
de garde?

— Si, c'est bien possible. En effet, je me souviens...

— C'est marrant, tout de même!

Failleroy avait eu le pied enlevé par une mine; l'os
de sa jambe s'était ouvert comme une fleur de lis.
Failleroy occupait le premier lit, près de la fenêtre
obturée par un rideau noir.

Le gros Louviel était étendu tout à plat, avec le buste,
la nuque, la tête maintenus dans une cuirasse de plâtre.
La lumière plafonnière lui heurtait le regard. Il regrettait
d'être séparé de Failleroy par un autre blessé, Renaudier,
dont tout le haut de la face avait été scié par un éclat
de bombe. Renaudier ignorait encore qu'il était aveugle,

mais il avait l'impression irritante que ses cheveux lui étaient tombés sur le visage, qu'ils avaient été pris, par mégarde, sous le pansement.

— C'est quand même drôle d'être enfermés comme ça dans une chambre et de ne pas savoir où l'on est, dit Mazargues qui occupait le sixième lit.

Comment s'appelait la ville, quelle forme avait le bâtiment, et se trouvait-il même dans une ville, ou bien n'était-ce pas un château transformé en hôpital avec une grande croix rouge sur le toit? Il semblait bien, pourtant, qu'il vînt de l'extérieur des rumeurs de ville.

— En tout cas, les gars, reprit Mazargues, vous l'avez vue l'infirmière? Qu'est-ce qu'elle tient comme balustrade, hé! Toute moche qu'elle est, moi je...

Il acheva sa phrase par une grosse obscénité. Mazargues était un Méridional aux yeux brillants et aux oreilles décollées; on lui avait extrait des fesses et des reins une demi-douzaine d'éclats d'obus. Ses blessures avaient déterminé un étrange état de priapisme, constant et presque insupportable.

La lumière fut mise en veilleuse, et ceux qui le purent s'endormirent, et les autres flottèrent sur les ondulations pénibles d'une demi-somnolence.

Longtemps, Failleroy contempla à côté de lui l'épais rideau de toile noire qui couvrait la fenêtre et qui, pareil au voile obscur à travers lequel on parle aux religieuses cloîtrées, semblait, dans ce cube laiteux, masquer l'entrée du domaine de la mort. Failleroy souffrait, stupidement, dans les chairs absentes de son pied emporté.

Mazargues se retenait de gémir au seul contact de sa chemise de nuit.

Le lendemain matin, la même infirmière, aux seins comme des melons, entra et releva le rideau.

Une belle clarté pénétra dans la chambre et, du même coup, les blessés eurent conscience de la mauvaise senteur qui régnait dans la pièce.

Failleroy s'appuya sur les paumes, pour s'asseoir à moitié. Ses cheveux châtains et courts étaient collés de fièvre, et il avait une fausse bonne mine.

— Alors, Failleroy, comment c'est dehors? demanda Louviel du fond de sa cuirasse crayeuse.

— Dehors?... dit Failleroy.

Il se frotta les yeux.

— Oh! ces cheveux, toujours ces cheveux sur la figure, murmura au même instant Renaudier, dont seule la bouche sortait des pansements. Enfin, c'est encore une veine qu'on ait mis près de la fenêtre un qui puisse regarder. J'espère bien que dans quelques jours, tout de même...

Une gêne passa sur la chambre, et Failleroy, tournant la tête vers les vitres, dit :

— Dehors, ce n'est pas mal. Il ne faut pas se plaindre ; on n'est pas dans un mauvais coin. Il y a un petit jardin, et puis après il y a la rue, et puis après d'autres maisons.

Il continua de décrire le paysage : les maisons étaient basses, bâties en briques. Un vieux bonhomme passait dans la rue, lisant son journal. Des ménagères allaient aux commissions.

Attentifs, silencieux, les autres blessés écoutaient Failleroy.

Le roulement d'un véhicule ébranla les vitres.

— C'est un gros camion militaire avec des gars qui ont des fusils, dit Failleroy.

— Et les femmes, dans la rue, comme elles sont, les femmes? demanda Mazargues.

Failleroy eut un rire bref qui découvrit ses belles dents blanches.

— Il n'y a pas de quoi t'énerver, mon gars, dit-il. Elles sont pas bien jolies, je t'assure.

— Jolies ou pas, je m'en fous, s'écria Mazargues. C'est de la fesse que je voudrais, t'entends, de la fesse.

— Histoire de réparer les tiennes, dit Louviel.

— T'es pas le seul que ça travaille, tu sais, prononça la voix grave du dernier allongé. Seulement, nous, on n'en fait pas une histoire.

Failleroy se recoula dans ses draps et ferma les yeux. Un moment après, il se redressa, regarda de nouveau vers l'extérieur. Soudain, il s'écria :

— Eh bien si, tiens, voilà une belle fille!

— Ah oui! dit Mazargues. Comment est-elle?

— Blonde, avec une natte tournée en chignon derrière la tête. Mais jolie, hein!

C'était le moment où le médecin entrait pour faire son inspection. L'absence de communication de langage avec les blessés le rendait pareil à un vétérinaire qui interroge par palpation, et doit fournir lui-même la réponse. L'infirmière, avec un hochement de tête, recueillait ses indications. Tandis qu'il examinait la plaie du dernier allongé, qui avait des drains de douze centimètres dans le ventre, on entendit un bref gémissement maintenu entre des dents serrées.

— Je vais tout de même pas gueuler devant ces salauds-là, grommela le blessé quand son pansement fut refait.

— Faut dire ce qui est, salauds ou pas salauds, ils nous soignent, dit un autre.

— Oui, c'est marrant, prononça Louviel; ils font tout ce qu'ils peuvent pour nous foutre en pièces détachées, et puis après ça...

— Ah! vraiment, les humains sont trop cons! dit sentencieusement l'homme aux drains.

La matinée se passa sans incident. Quelques minutes après midi, Failleroy dit :

— Tiens, voilà la blonde de ce matin! Elle regarde par ici.

Et il fit un geste avec sa main levée, une sorte de « bonjour » muet qu'accompagnait un sourire.

— La petite garce, elle a fait exprès de détourner la tête, dit Failleroy en se réétendant.

Vers deux heures, il annonça de nouveau le passage de la fille blonde; elle évitait de lever les yeux.

— J'ai idée que c'est une dactylo, confia Failleroy à Louviel.

A six heures, elle reparut encore et, cette fois, Failleroy, triomphant, assura qu'elle avait longuement regardé la fenêtre.

Il fallut qu'il la décrivît dans le détail. Comment avait-elle la poitrine faite, et les hanches, et les reins?

— Les chevilles? Ah ça, les chevilles, j'ai pas fait attention.

— C'est toujours les mêmes qu'ont la bonne place, lança Mazargues, exaspéré.

La nuit replongea les hommes dans leurs torpeurs anxieuses. Au matin, la levée du voile noir leur rendit l'espoir. Et pour plusieurs jours, en dehors du rythme

des soins médicaux — prise de température, inspection
du major, pansements, repas —, un temps étrange
s'installa, comme battu par une nouvelle horloge, où
les quatre passages de la fille blonde formaient la grande
croix du cadran.

— Failleroy, tu es amoureux, disaient les autres.

— Mais non, vous voyez bien que je rigole.

Mais les sept autres aussi étaient amoureux. On eût
dit que l'intrigue qui s'ébauchait à travers la vitre
fût la leur propre. Il leur semblait qu'ils fussent là
depuis l'éternité, et que la fille blonde, invisible à tous
sauf un, fût déjà passée mille fois.

Plus rien d'autre ne les intéressait. Si parfois Failleroy
sommeillait vers midi, il se trouvait toujours quelqu'un
pour lui crier :

— Eh! dis donc, Faille! Ça va être l'heure.

On savait que Failleroy, dans le civil, était tailleur.

— Tu pourras l'habiller, ta blonde!

Failleroy pensait : « Comment est-ce que je vais
me tenir assis sur ma table, maintenant, avec mon pied
en moins? »

Mazargues n'en pouvait plus. Il crevait de désir,
de jalousie, d'orgueil blessé. Il était prêt aux pires tra-
hisons. Il priait pour sortir de l'hôpital avant Failleroy.
« Et puis, sur ses béquilles, il aura l'air de quoi? » Tandis
qu'il se voyait, lui, le rein encore un peu raide, mais
l'épaule haute, l'air arrogant et conquérant, déambuler
dans les rues de la ville.

Il ne cessait de raconter des histoires obscènes et
invraisemblables pour attirer l'attention sur lui.

On l'interrompait régulièrement d'un : « Ta gueule,

Mazargues! », surtout quand il commençait de mêler la fille blonde à ses divagations.

— C'est dommage qu'on ne connaisse pas un mot de leur sacré jargon, disait Louviel à Failleroy. Sinon, tu pourrais lui écrire des choses gentilles, sur un grand papier, et puis les lui montrer.

Alors, Failleroy eut l'idée de découper un cœur dans une vieille feuille de permission; à trois passages de la fille blonde, il tendit le papier vers la vitre.

Le lendemain, Failleroy eut son grand sourire clair qui atténua un peu l'espèce de fadeur bouffie qui s'installait sur son visage.

— Elle a mis une broche en forme de cœur sur sa robe! s'écria-t-il.

— C'est quelle robe?

— Celle à fleurs vertes.

Deux jours se passèrent encore. Puis, un matin, Failleroy, pressé de questions, comme d'habitude, répondit :

— Non, elle n'est pas passée.

Ce fut justement ce jour-là que le médecin, palpant la jambe de Failleroy, au-dessus du moignon, hocha la tête d'un air intéressé, regarda plus attentivement la feuille de température, et fit à l'infirmière un signe de paupières qui signifiait : « Hein, je l'avais bien dit? »

Le même soir, Failleroy, les yeux tournés vers la fenêtre, murmura :

— Ce n'est pas drôle, tout ça.

— Quoi donc? dit le gros Louviel.

Failleroy ne répondit pas.

— Alors quoi, ce soir non plus tu ne l'as pas vue, ta fille? insista Louviel.

— Si!... Elle est passée... avec un autre.

— C'est peut-être son frère!

— Je t'en fous! Toutes des garces! dit Mazargues avec satisfaction. C'est pas des cœurs en papier qu'il faut leur montrer, c'est des...

— Ta gueule, Mazargues! cria l'homme aux drains.

Un grand chagrin tomba sur la chambre.

« Qu'elle ait un gars, au fond, c'est naturel, pensait Louviel. Mais elle aurait tout de même pu éviter de passer là, devant, histoire de narguer. »

Durant la nuit, Failleroy gémit à plusieurs reprises, sans s'en rendre compte. Le lendemain, il ne sortit pas de sa torpeur, ne regarda pas une seule fois par la fenêtre, et toute la chambre respecta sa tristesse.

Et puis, le soir, à la surprise de tous sauf du médecin, il mourut.

Son corps fut emporté et l'on mit des draps frais à son lit.

Mazargues appela du geste l'infirmière aux gros seins, et lui fit comprendre qu'il voulait prendre le lit de Failleroy.

L'infirmière avait pour Mazargues une sympathie visible; il fut changé de place.

De toute la nuit, Mazargues put à peine fermer l'œil. Son imagination lui amenait par vagues des fleurs vertes, des cheveux blonds, des chairs roses légèrement saupoudrées de son...

L'infirmière entra et releva le rideau noir juste au moment où Mazargues venait enfin de s'endormir.

D'un bond, il se réveilla, dressé comme un point d'interrogation, le front vers les vitres.

— Oh! merde! s'écria-t-il en se laissant retomber sur son oreiller.

— Eh bien quoi? Qu'est-ce qui te prend? Tu es malade? dirent les autres.

Mazargues s'efforça de prendre une contenance détachée.

— Oui, oh! je m'en doutais depuis le début qu'il se foutait de nous, Failleroy, dit-il. Mais, tout de même, je voulais me rendre compte, par moi-même.

De l'autre côté de la fenêtre, il n'y avait rien qu'un immense mur gris et quelques monceaux de détritus.

Alors le gros Louviel, emprisonné dans son heaume blanc, sentit s'étaler sur son visage la stupide humidité des larmes.

LE COUP DE SANG

A Freddy Chauvelot.

« **V**ous me demandez de quoi La Marvinière est
mort? dit notre camarade Magnan. Je n'en
sais rien. Il est mort devant moi, le soir de l'armistice,
en quelques secondes. Je ne suis pas médecin, je n'ai
pas cherché à comprendre. Tout ce que je crois, c'est
qu'il était un peu trop cardiaque. Il le disait lui-même.
Un singulier bonhomme... Je ne l'ai vu que trois fois
en tout et pour tout, mais je ne suis pas près d'en
perdre le souvenir.

« La première fois, c'était en Normandie, au-dessous
de la Seine, dans un petit patelin qui s'appelait Reuillen-
ville. Je venais prendre une liaison. Je me renseigne.
On me répond :

— Le colonel La Marvinière? Vous le trouverez au
P. C. du Général... Vous verrez, un grand maigre, très
pâle...

« Le P. C. était au presbytère. Vous imaginez facilement un P. C. divisionnaire, installé de la veille et qui
allait sûrement déménager le jour-même; les motocy-
clistes qui pétaradaient dans le jardin du curé... J'entre;
le général était là, penché sur une carte, avec une
demi-douzaine d'officiers supérieurs autour de lui. On

4

faisait de grands ronds au crayon rouge. Un malheureux sous-officier tapait sur une machine à écrire, à
s'en casser les doigts; les plantons entraient, sortaient,
sans arrêt. Et puis, dans un coin, tout seul, debout
contre un mur, il y avait un homme immense, mais
vraiment qui n'en finissait plus, avec cinq galons sur
son calot, et le regard dans le vague. C'était La Marvinière. Il était appuyé sur une canne haute comme
la canne de Louis XIV, terminée par d'étranges embouts
de cuivre qui servaient à mesurer je ne sais trop quoi.
Et il avait l'air de s'ennuyer, et de se ficher de ce
qui se faisait autour de lui.

— Bonjour, me dit-il en avançant deux doigts par-
dessus sa canne. Qu'est-ce que vous m'apportez là?

« Je le regardais pendant qu'il lisait. Vraiment un
des plus singuliers visages que j'aie jamais vus; une
grande figure longue, au nez cassé, écrasé, et deux gros
yeux bleus au-dessus, qui ressortaient comme des
escargots. C'était Morange qui disait : « Quand La Marvinière est à table, on a toujours peur que ses yeux ne
tombent dans son assiette. » En plus, des cicatrices
partout, à la mâchoire, à la tempe; et tout cela dans une
pâleur incroyable, un teint d'enfant de douze ans un peu
lymphatique.

— Avez-vous déjeuné, mon vieux, me demanda-t-il.
Non? Eh bien, venez avec moi, je vous invite. Pour ce
que je fais ici, hein?... Je peux disposer, mon général?
Mes respects!

« Et il s'en va. A peine étions-nous sortis du P. C., ...
bombardement. Les avions au-dessus de nous... piqués,
repiqués, éclatements; une maison s'effondre. Il y avait
deux cents voitures en pagaïe dans le village. Un camion

flambe à trente mètres. Affolement. Les hommes à plat
ventre dans les jardins. Pendant ce temps, La Marvinière
s'était adossé à un muret à moitié en ruine et, toujours
appuyé sur sa canne, il attendait que ça se passe. Il
avait laissé son casque pendre à son ceinturon. C'est
très désagréable de se trouver à côté d'un colonel qui
reste debout alors qu'on a soi-même envie de se flanquer
par terre, discrètement, mais comme tout le monde!
Quand il entendait une bombe descendre un peu trop
près, La Marvinière rentrait légèrement la tête dans les
épaules, jusqu'à l'explosion, et puis après il recommençait à regarder en l'air. Tout à coup je l'entends
me crier, au milieu du vacarme :

— Mais couchez-vous donc, mon vieux! Moi, c'est
différent. Je préfère être debout parce que ... je suis
cardiaque.

« Le bombardement dure dix, douze minutes. La
D. C. A. se réveille enfin, les avions s'en vont. Les
hommes se relèvent. L'un d'eux passe devant nous en
hurlant comme un possédé. Le colonel l'arrête avec sa
canne en lui disant :

— Eh bien?... Ça ne va pas mieux? Ce n'est pas la
peine de courir, mon petit. Moi, je n'ai pas bougé, et
puis tu vois, je suis encore de ce monde.

« Et il avait un sourire de biais qui remontait sa
moustache rousse et raide. L'homme complètement
affolé, crie :

— Mais, mon colonel!... Là! Regardez! ça va sauter!...

« A quelques pas de nous, derrière le muret, il y avait
une torpille qui n'avait pas éclaté. Elle s'était couchée
dans l'herbe comme un gros marcassin, avec sa queue
de tôle un peu plus loin; la terre fumait encore autour.

Or, au lieu de s'éloigner, je vois mon La Marvinière qui s'avance, passe son bras par-dessus le muret et approche de la torpille sa canne à bout de cuivre, en disant :

— Ça c'est curieux! Ça c'est curieux!

— Je crois que nous l'avons échappé belle, mon colonel! lui dis-je.

« Il me fait : « Oui! » et continue d'approcher sa canne; puis, sans que son sourire de coin l'ait quitté, il finit par me demander :

— Il vaut peut-être mieux ne pas y toucher, hein? Il paraît qu'il y en a qui éclatent après... Qu'est-ce que vous en pensez?

« Eh bien, j'ai eu la surprise de constater que le soldat était resté là, absolument médusé. Il suivait, haletant, les gestes du colonel, mais il ne criait plus; il était calmé. »

Magnan se tut un instant, alluma une cigarette et reprit :

« Oui, c'était un grand bonhomme. Ça ne s'expliquait pas; ça se sentait. Un seigneur!... Après cette histoire, nous remontons dans nos voitures. Il avait une conduite intérieure formidable, avec le fanion de son unité. Il fait d'abord le tour de ses escadrons, pour voir s'il n'y avait pas eu trop de casse; puis nous entrons dans la maison où il avait installé sa popote. Plus un carreau aux fenêtres, mais le couvert était mis, soigneusement, et il y avait là un ordonnance en veste blanche de maître d'hôtel. Je ne pus m'empêcher de demander :

— Il y a longtemps que vous êtes ici, mon colonel?

— Ici? Nous sommes arrivés ce matin. Ah! c'est la veste de Taupard qui vous surprend? Je tiens à ce qu'il soit habillé comme ça. Voyez-vous, mon cher, je ne

comprends pas pourquoi, sous prétexte que c'est la
guerre, on devrait renoncer complètement à ses petites
habitudes. Quand on le peut ... vous ne croyez pas?...
Il est d'ailleurs très bien, ce Taupard; il me prépare
mon bain; il connaît mes manies... Taupard! les capi-
taines ont déjeuné?

— Oui, mon colonel.

— Bon, sers-nous.

« Pendant le repas... un vrai repas, comme je n'en
avais pas fait depuis longtemps, avec un excellent bor-
deaux qui sortait du coffre arrière de sa voiture... La Marvinière, s'apercevant que je le contemplais avec curiosité, me dit :

— Vous trouvez que j'ai une drôle de tête, hein?

— Mais pas du tout, mon colonel!

— Si, si, allez, soyez franc!... Voyez-vous, ma
malheureuse mère m'avait fait une figure pas très,
très jolie, mais enfin à peu près possible. Si elle voit de
là-haut ce que j'en ai fait, de ma figure!... Mon nez,
c'est une chute en concours hippique. Mon cheval a eu
une embolie en passant un gros obstacle. Il est retombé
raide mort. Ça...

« Il me désigne une sorte de trou dans la mâchoire :

— ... c'est une lance de uhlan, en 14. Car j'ai chargé
au sabre, figurez-vous! Oh! je suis un vieux tableau,
moi! Et puis ça...

« C'était une plaque rose, sans cheveux, au-dessus
de la tempe :

— ...une balle qui m'a éraflé au Maroc. Le reste
est moins important... Au moins, je peux dire que j'ai
tous mes souvenirs dans la tête.

« Il parlait en joignant presque les paupières devant

ses gros yeux en surplomb, au-dessus de son absence
de nez... Le déjeuner se termine... Au revoir, mon
colonel!... Au revoir, mon petit!... Je m'en vais.

« Huit jours plus tard, un fleuve plus bas — c'était
le rythme —, on me dépêche à la recherche de La Marvinière qui était demeuré tout seul dans la nature avec
ce qui lui restait de troupes, peu de chose, à quinze
ou vingt kilomètres. Ordre à lui de passer la Loire au
plus vite. Route très calme, plus de voitures, quelques
petits groupes d'égarés qui se hâtaient de descendre
vers le sud. Et bientôt plus rien; juste les vaches pas
traites qui meuglaient dans les champs. Je me méfiais
de ne pas me faire colleter comme un lapin, au premier
tournant venu. Enfin j'entends qu'on tiraillait sur la
gauche. Je me dis : « La Marvinière doit être par là... »
En effet, j'arrive dans un hameau. Je tombe sur des
hommes de chez lui :

— Le colonel? Il est à la ferme, là-bas!

« Je vais à la ferme, et qu'est-ce que je trouve?
La Marvinière au milieu de la cour, dans une grande
cuve, en train de prendre un bain. A côté, sur une
chaise, il avait sa vareuse, sa culotte et la canne de
Louis XIV; son ordonnance se tenait devant lui, lui
tendant une glace. La Marvinière se rasait, tout tranquillement. Depuis j'ai appris que c'était rituel; il lui
fallait son bain chaque jour. Le premier soin de l'ordonnance, en arrivant dans un nouveau cantonnement,
était de trouver un récipient où le colonel pût se tremper
tout entier, ce qui, vu la taille du bonhomme, n'était
pas toujours facile. Ce matin-là, il m'accueillit par ces
mots :

— Ah! Je suis content de vous voir. Je me demande

toujours ce que sont devenus les gens avec qui j'ai
déjeuné. Rappelez-moi votre nom. Oui! Magnan!
C'est ça. Qu'est-ce que vous m'apportez?

« Il me tend un grand bras, blanc comme une endive.

— Un ordre de repli, mon colonel.

— Repli? Mais je ne fais que ça! Et puis comment
voulez-vous que je me replie? Je suis accroché à droite
et à gauche. On veut me faire massacrer! Et où ça, ce
repli?

— Au-dessous de la Loire, mon colonel.

— Mais ce n'est pas du repli; c'est de la course à
pied! Alors, on ne me laisse même plus guerroyer?
Taupard! La glace! Plus haut!...

— C'est formel, mon colonel; les ponts vont sauter.

— Bon, bon, on va voir ça... Je ne peux pas m'en
aller avec une seule joue faite.

« Et il continua de se raser en prenant bien soin de
contourner sa moustache. Cet homme avait le calme
réellement contagieux; à peine m'étais-je aperçu que
la fusillade se rapprochait. A ce moment, un sous-
officier arrive :

— Mon colonel, ça va bientôt chauffer par ici. C'est
le capitaine Duchemin qui m'envoie...

— Ah bon! dit La Marvinière. Eh bien, dites au
capitaine qu'il me tienne au courant. J'irai le voir
tout à l'heure.

« Je pensais qu'il allait tout de même sortir de son
bain. Pas du tout. Il ajoute :

— Et puis faites-moi donc approcher une caisse de
grenades. Là... à portée de la main.

« Puis se tournant vers moi :

— Vaut toujours mieux prendre ses précautions.

Je me méfie de l'imprévu... D'abord, moi, je vous l'ai dit, je suis...

— Cardiaque, mon colonel? fis-je en souriant.

— Mais parfaitement! Ne riez pas. C'est curieux que personne ne veuille y croire. Allons, soyons sérieux. Taupard! La serviette...

« Il s'essuie les mains.

— La carte...

« Il n'avait qu'une carte Michelin, et encore bien heureux de l'avoir!

— Bon! Alors Magnan, vous allez me rendre un petit service. Approchez-vous...

« Je me penche au-dessus de son épaule nue.

— Voilà, je vais me replier sur ce point, ici, par le pont de B... Voulez-vous leur demander de ne pas faire sauter avant... Quelle heure est-il? 10 heures?... Oui, pas avant midi et demi, hein? Partez tout de suite; merci, mon vieux, à bientôt.

« Les balles commençaient à claquer, pas très loin; il se renfonce dans sa cuve en disant :

— Moi, je reste encore cinq minutes. Parce qu'avec la chaleur qu'il va faire aujourd'hui... »

Insensiblement, Magnan avait imité les intonations du colonel. Il reprit, de sa voix normale :

« Je vous avoue que je suis parti à regret. J'aurais donné cher pour voir La Marvinière se dressant tel que la nature l'avait fait, et balançant ses grenades à la tête des assaillants.

« Évidemment, à midi et demi, il n'était pas là. A trois heures, la garde du pont reçoit l'ordre de faire sauter. Et à partir de ce moment, nous avons tous considéré La Marvinière comme perdu. Les uns disaient :

— Il était complètement cinglé...

« Les autres :

— Oui, mais si tout le monde s'était conduit comme lui !...

« Or, le 25 juin... »

Magnan marqua une légère hésitation.

« Dieu qu'il faisait beau, ce jour-là ! murmura-t-il. Donc le 25 juin, en traversant une petite ville au nord de la Dordogne, j'apprends par hasard que La Marvinière était là. Je le découvre dans la maison du notaire. Et toujours la pancarte à ses couleurs : « P. C. du colonel », et sentinelle, planton, tout le décorum. La Marvinière, aussi calme, était assis sur une chaise Henri II, avec son inséparable canne à côté de lui.

« Mes premiers mots sont pour m'informer :

— Alors ? Qu'étiez-vous devenu, mon colonel ?

— Ce que je suis devenu ? Oh ! rien. Je suis passé avec des barques, le soir ; et puis, comme on m'avait oublié, eh bien, j'ai continué ma petite guerre, pour moi tout seul. Mais je crois bien que maintenant...

— Oui, ça ne va pas fort, mon colonel.

« Il hausse les épaules comme si cela lui était complètement indifférent.

« Nous parlons quelques minutes, et j'allais juste lui demander s'il avait utilisé ses grenades, quand un soldat entre en courant, tout joyeux, la face illuminée, et criant :

— Mon colonel, mon colonel ! Ça y est ! Il est signé, cet armistice !

« Et il souriait, l'imbécile, en croyant que l'armistice c'était la fin de la guerre, et qu'en plus, cela allait faire plaisir au colonel.

« La Marvinière ne réagit pas. Il répond simplement, très doucement :

— C'est bien, mon petit, c'est bien; tu peux t'en aller, je te remercie.

« Il avait presque l'air de ricaner lui aussi. Nous restons seuls. Il me fait :

— Eh bien, voilà!

« Et il se tait, en regardant droit devant lui. Et soudain, je vois cet homme qui était toujours telle-ment pâle, devenir rouge. D'abord le cou; puis le menton se prend, les joues, le front; à chaque seconde, la couleur montait. Je ne peux pas vous dire l'impres-sion que cela m'a fait. Lui-même n'avait pas l'air de s'en apercevoir. Il était cramoisi jusqu'au front. Je lui dis :

— Vous ne voulez pas un verre d'eau, mon colonel?

— Oui, un verre d'eau...

« Je sors, je trouve la cuisine, et quand je rentre dans la salle à manger, le verre à la main, La Marvi-nière était plié sur sa chaise, la tête entre les genoux. Je le relève, je crie :

— Mon colonel, mon colonel...

« Il n'a pas eu l'air de me voir; il a murmuré :

— Oh! Ça devait bien arriver un jour.

« Je n'ai pas su, s'il voulait parler de l'armistice ou de la mort. Sa tête est retombée en avant et ça a été fini... »

Magnan s'arrêta, écrasa la fin de sa cigarette. Comme nous nous taisions, il acheva :

« Je vous l'ai dit, je n'ai pas d'autre explication; il était un peu trop cardiaque... »

Marseille 1941.

II

AUTRES HISTOIRES

LE PRINCE NOIR

A Hervé Mille.

L ui : de taille petite mais admirablement prise, la
jambe mince et musclée, le pied étroit, la poitrine
profonde, le regard brun velours entouré d'immenses
cils noirs, la narine courte et bien ouverte, de la noblesse
en son allure, de la fierté, du panache... bref, un cheval
comme on voit très peu d'hommes.

Elle?... Elle, je vous en parlerai tout à l'heure.

L'histoire que je vais vous conter commence à Paris
au printemps de 1730, l'après-midi de la Fête-Dieu,
dans le quartier des Gobelins.

Ce jour-là, traditionnellement, la célèbre manufac-
ture exposait ses pièces de collection et ses produc-
tions de l'année; du haut en bas des murs, la grande
cour était tendue des plus somptueuses tapisseries du
monde. C'était une curiosité chaudement recommandée
par le « Guide des Voyageurs étrangers à Paris » dont
l'auteur précisait toutefois :

« *Mais je conseille aux étrangers de prendre bien
soin de leurs poches, car on ne sait souvent pas qui on
a près de soi à cause de cette infinité de monde qui entre
et sort.* »

Mr. Coke, touriste anglais, portant lourde perruque

et petit chapeau rond, s'en revenait de visiter l'exposition. Mr. Coke n'était pas particulièrement amateur de tapisseries; il était plutôt spécialiste en chevaux de courses. Les bras ballants et le ventre pointant sous le justaucorps court, Mr. Coke se laissait porter dans le flot des promeneurs qui, par la rue Croulebarbe bordée de cultures maraîchères, gagnait le faubourg Saint-Marcel. L'Anglais regardait avec complaisance les jolies bourgeoises en robes rayées, telles encore que M. Watteau, mort quelques années plus tôt, les avait peintes. La cohue ni le vacarme ne le surprenaient; son « Guide des Voyageurs » l'avait averti.

« *Il faut être attentif quand on se trouve dans les rues de Paris. Outre la foule de ceux qui vont à pied et souvent se heurtent, il y a un nombre considérable de carrosses et de fiacres qui roulent çà et là jusqu'à la nuit noire. Ces voitures vont très vite. Il faut avoir l'œil de tous côtés. On veut éviter une personne qui est devant soi et on est déjà pressé par celle qui suit, car le bruit des voitures empêche de l'entendre.* »

Mr. Coke, en vérité, n'était pas suffisamment attentif car soudain il se sentit heurté violemment à l'épaule et s'en fut rouler dans la poussière. Il se releva sans trop de dommage, au milieu de l'attroupement qui s'était aussitôt formé, et vit l'équipage qui venait de le renverser, un lourd tonneau de marchand d'eau. Le propriétaire, auvergnat comme presque tous les hommes de sa profession, avait sauté à bas de son siège et aidait l'Anglais à s'épousseter.

— Faites excuses, mon bourgeois, disait le marchand d'eau; c'est la faute à cette rosse que je ne peux point tenir, qui tire sur le mors et n'en fait qu'à sa tête. Un

jour il tuera un passant, ce cheval-là, et m'enverra en
prison.

Il désignait le cheval qui tirait le tonneau, un animal
crotté, d'aspect misérable, si maigre qu'on lui voyait
saillir les os. et dont la peau en maintes places était
blessée par le harnais. Un mors trop lourd, trop large
pour sa bouche, le faisait souffrir visiblement.

— C'est mauvaise affaire que j'ai faite là, pour
sûr ; une vraie charogne, continuait l'Auvergnat, levant
le manche de son fouet pour soulager sa colère.

Mais Mr. Coke lui arrêta le bras. Il regardait le cheval,
et le cheval le regardait.

Pour qui connaît les chevaux, et les aime, le regard
d'un cheval peut être aussi expressif, aussi révélateur,
qu'un regard humain. Et les chevaux aussi reconnais-
sent parmi les hommes ceux qui savent les comprendre.
Un cheval choisit son maître, autant que le maître
choisit la monture. Ce grand œil sombre, à la fois fier
et effrayé, qui se tournait vers l'Anglais, n'appartenait
pas à une bête de trait, à un animal né pour une condition serve.

— Laissez-moi voir ce cheval, dit Mr. Coke. D'où
vient-il ? Comment l'avez-vous acheté ?

Le marchand d'eau, ayant reconnu l'accent du
touriste, se mit aussitôt à lui donner du « mylord ».

— Vous pouvez bien le regarder tout votre saoul ;
une mauvaise affaire. Je l'ai acheté parce qu'il venait
des écuries du roi, à ce qu'on m'a dit. Je me demande
comment il pouvait bien servir au roi, puisqu'il n'est
pas même bon à tirer un tonneau.

— Les écuries du roi ? dit l'Anglais qui avait autant
de mal à comprendre l'accent de l'Auvergnat que

l'Auvergnat en avait à entendre le sien. L'étrange chose! Je ne savais pas que le roi de France ait eu des chevaux arabes. Comment se nomme celui-ci?

— Scham; ce n'est pas un nom de cheval de chrétien.

Mr. Coke, le corps ployé, palpait les jambes du cheval, incrustées de poussière. Puis, se redressant, il examinait l'angle formé par l'ossature de l'épaule, la courbe de l'encolure, l'attache de la tête.

— Voulez-vous me le vendre? demanda-t-il enfin.

— Vous le vendre? Ah! tout de suite, mon mylord; s'écria l'Auvergnat.

Mais il se reprit rapidement. Le cheval était une mauvaise acquisition, certes; mais il l'avait quand même payé fort cher; et puis l'avoine ne se donnait pas; et puis, maintenant, il lui allait falloir en trouver un autre, et les prix montaient...

L'Auvergnat avança finalement un prix qui lui semblait énorme : soixante-quinze francs. Mr. Coke accepta sans discuter.

— Sont-ils bêtes ces Anglais, disait le marchand d'eau, en conduisant Scham, le soir même, aux écuries de l'Hôtel d'Entragues, rue de Tournon.

Les palefreniers de ce luxueux hôtel pour étrangers fortunés firent la moue lorsqu'ils eurent à étriller le maigre bidet noir qui semblait avoir dormi des mois sur du fumier.

Dès le lendemain, Mr. Coke se mit en quête des origines de Scham. Le cheval était déjà passé en plusieurs mains. Remontant de propriétaire en propriétaire, tous petites gens qui s'étaient servis de Scham pour l'atteler, et en avaient connu des déboires, Mr. Coke parvint jusqu'à un palefrenier de Versailles.

L'Auvergnat avait dit vrai : Scham provenait effec-
tivement des écuries royales. Il avait fait partie d'un
lot de huit étalons barbes envoyés à Louis XV, en
cadeau, par le bey de Tunis, à l'occasion d'un traité
de commerce signé deux ans plus tôt.

Ces petits chevaux nerveux, difficiles à monter pour
qui ne les connaissait pas, et dont la finesse, loin de
flatter les goûts de l'époque, semblait plutôt dérisoire,
firent hausser les épaules au roi, qui d'ailleurs ne trouva
jamais monture à son goût puisqu'il en essaya dans
sa vie plus de deux mille, par caprice, sans vraiment
en élire aucune.

Comme le roi avait haussé les épaules, le Grand
Écuyer en fit autant, et tous ses subalternes après lui.
Les étalons barbes furent relégués dans un coin des
écuries jusqu'à ce qu'ils fussent donnés, en gratifica-
tion, à des membres du personnel qui eux-mêmes
s'en défirent.

Ainsi Scham, prince du désert, descendant d'un
ancêtre nommé « Ailes du Vent », et présent d'un souverain d'Islam au roi Louis le Bien-Aimé, était-il
arrivé jusqu'à la rue Croulebarbe, entre les brancards
d'un marchand d'eau.

Il avait alors six ans; parti d'un si haut état pour
parvenir après tant de vicissitudes à un tel degré
d'abaissement, sa destinée ne faisait encore que commencer.

Il avait franchi la Méditerranée sur une galère bar-
baresque, il passa la Manche sur un bon bateau rond;
il avait connu le sable d'Afrique et le pavé de Paris;
il posa le sabot sur la douce herbe d'Angleterre.

A Londres, Mr. Coke fréquentait la taverne Saint-

James, un cabaret à la mode où se retrouvaient des joueurs, des amateurs de chevaux, et dont le propriétaire, Roger Williams, faisait lui-même courir.

Mr. Coke était plutôt embarrassé de son acquisition. Il avait cédé à une impulsion soudaine, à un mouvement de curiosité et aussi à un désir d'étonner; il avait une amusante histoire à raconter, mais il ne savait plus que faire du cheval qui l'avait renversé. Il revendit Scham pour vingt guinées au tenancier de la taverne, lequel mit le jeune étalon au vert pendant quelque temps.

Le prince du désert reprit alors son aspect véritable; il retrouva ses formes rondes, sa longue crinière frémissante, sa queue fournie qui tombait jusqu'à terre avec des mouvements d'éventail, sa belle croupe large, ses muscles ciselés et son pelage soyeux d'un noir si intense que, sous la lumière, il virait au bleu.

Les courses hippiques avaient déjà grande vogue en Angleterre, et cela depuis une trentaine d'années; mais les chevaux qu'on présentait ne ressemblaient en rien à ceux d'aujourd'hui. L'idéal des montures d'alors était encore proche des chevaux de cavalerie médiévale, hauts, lourds, forts porteurs pour pouvoir soutenir le poids des armures, et qui défonçaient le sol dans leur galop avec un bruit d'avalanche.

Mr. Williams, le tavernier, avait le goût de la plaisanterie.

— Je vais faire courir le nègre, dit-il, car c'est ainsi qu'il appelait Scham.

Mais, Scham, lui aussi, avait le sens de l'humour. Lorsqu'on l'amena sur le terrain, il refusa de prendre le départ, et comme on le pressait un peu trop entre

les éperons, il rua, pointa, jeta le jockey à terre, et,
secouant sa crinière, retourna aux écuries.

A deux ou trois reprises, on renouvela la tentative,
vainement. Ce cheval n'avait pas le goût de la compé-
tition. A l'entraînement, et seul, il promettait merveille
et glissait comme une flèche noire sur les pistes d'herbe ;
mais dès qu'on le mettait en rivalité avec ses gros
concurrents, il semblait en prendre outrage et devenait
un danger pour qui l'approchait.

— Mauvaise affaire, dit Mr. Williams, comme l'avaient
dit avant lui le roi Louis XV, le Grand Écuyer, les
palefreniers de Versailles, le marchand d'eau et Mr. Coke.

Aussi Williams fut enchanté de céder Scham à l'un
de ses clients, lord Godolphin, en se contentant d'un
mince bénéfice. Le marché fut conclu pour vingt-
cinq guinées.

Pour lord Godolphin, ex-trésorier de la maison
royale, ex-député d'Oxford, membre de la Chambre
des Lords et gendre du premier duc de Marlborough
dont il avait épousé la fille lady Henrietta Churchill,
vingt-cinq guinées n'étaient rien, et pas même cent,
et pas même mille, s'il s'agissait de chevaux. Ce fort
honnête homme avait deux passions, les échecs et les
courses ; la seconde devait d'ailleurs finir par le ruiner.
Il entretenait dans le Cambridgeshire une écurie nombreuse ; Scham n'était pour lui qu'une fantaisie exo-
tique.

— J'enverrai le nègre à Gog-Magog, décida lord
Godolphin qui avait donné à ses haras, bizarrement,
le nom des géants légendaires de la Bible.

La nature féminine a le goût de l'étrange et de
l'inhabituel, l'attrait du dépaysement. L'arrivée du

bel oriental provoqua quelque émoi parmi les juments de Gog-Magog. Voyant ses pouliches élargir les naseaux et redresser le col au passage de Scham, lord Godolphin ordonna que le cheval, pour gagner son avoine, tînt le rôle d' « agaceur ».

Ainsi fut employé, pendant plusieurs mois, celui que déjà on ne désignait plus autrement que sous le nom de « Godolphin Arabian », l'Arabe de lord Godolphin.

Lorsque des épousailles étaient décidées à Gog-Magog, le prince du désert était amené auprès de la future mère pour flirter avec elle et la mettre en humeur amoureuse. Puis, quand la belle, sensible à la séduction du petit cheval noir, semblait suffisamment préparée aux hommages, on faisait entrer dans la stalle le maître étalon, le roi du haras, l'énorme Hobgoblin qui s'avançait, lourd, important, satisfait, se dandinant un peu dans sa grasse apparence, pour accomplir avec le moindre effort l'œuvre de paternité. Et Godolphin Arabian était prié de s'effacer devant ce seigneur imposant dont il avait préparé le plaisir.

Cette retraite humiliante était mal tolérée par un cheval si vif, dont le sang était habitué à la conquête, et qui avait un sentiment si développé de son honneur ; mais une longe, fermement tenue par les lads de lord Godolphin, ramenait le nègre dans les limites du respect.

Les choses se passèrent de la sorte, jusqu'au jour, mémorable entre tous dans l'histoire des chevaux de course, où apparut devant Godolphin Arabian une superbe blonde, une alezane dorée, très jeune encore mais déjà opulente en ses formes, et fort nerveuse, fort inquiète d'être conduite à ses premières noces. Elle s'appelait Roxana.

Qu'elle vînt des haras royaux — où lord Godolphin l'avait payée soixante guinées — ne l'empêcha pas d'éprouver le coup de foudre pour l'agaceur oriental. Plus intuitive, sans doute, que les hommes, elle avait reconnu en Godolphin Arabian un sang également royal. Et le prince du désert, lui aussi, montra dès l'abord, pour la blonde Roxana, un élan, une passion, une fougue comme il n'en avait jamais témoignés.

Entre ces deux chevaux commença une danse d'amour éperdue, somptueuse, un ballet de la séduction comme seuls les animaux, les abeilles filant droit dans le soleil pour célébrer leur union, les libellules mirant dans les eaux leurs ébats nacrés, les oiseaux déployant leurs couleurs, savent en accomplir.

Au moment où Roxana, éperdue, allait s'abandonner, on approcha, comme de coutume, le gigantesque, le gras, le puissant Hobgoblin. Mais on vit alors le petit cheval noir, ivre de rage, se dresser et se précipiter, sabots levés, vers son rival. En vain les lads tirèrent sur les longes; Godolphin cassa le cuir de ses liens, et la bataille commença, sous les yeux terrifiés des hommes d'écurie qui n'osaient avancer de peur d'être assommés.

La paille volait dans la stalle, les bat-flanc résonnaient, frappés par les fers; le combat se déroulait dans une poussière épaisse. Le lourd Hobgoblin, habitué à d'autres traitements, n'était pas préparé à une telle attaque. Il s'était dressé, lui aussi, pesamment; mais il était trop lourd pour riposter aux assauts furieux, précipités, tourbillonnants, de son mince adversaire.

A coups de sabots et à coups de dents, Godolphin, en quelques instants, tua l'énorme Hobgoblin.

Le David des chevaux avait abattu le Goliath, et, comme David, il exigea pour récompense la princesse royale. Brisant les portes, sans que personne pût s'opposer à sa violence, il s'élança vers la liberté, entraînant la belle Roxana, éblouie de cette victoire, amoureuse, et à jamais conquise. Leur galop crépita sur le sol de l'écurie, et ils s'enfuirent ensemble dans la forêt voisine.

On les retrouva le soir, heureux, un peu las et à nouveau dociles, appuyés l'un sur l'autre, la tête de la blonde Roxana posée sur l'encolure noire de son conquérant.

Le personnel du haras n'était pas fier; on ne savait comment annoncer à lord Godolphin que son meilleur étalon avait été tué et que sa plus prometteuse pouliche, la plus coûteuse aussi, était partie vivre sa lune de miel, dans les bois, avec le nègre.

Mais lord Godolphin, en plus du goût de la fantaisie, avait le sens de l'honneur. Le récit de cette bataille lui plut, et il prit de l'estime pour son cheval arabe en dépit du dommage causé.

— Nous verrons bien quel sera le produit, dit-il.

Or le produit de cette union romanesque fut un cheval nommé Lath, qui naquit en 1732 et qui, dès qu'il parut sur les champs de courses, emporta tous les prix. On n'avait jamais vu pied plus sûr, ni train plus rapide. Ses lourds concurrents peinaient à vingt longueurs derrière lui. Cet enfant de l'amour était invincible. Du même coup, la race dite curieusement « de pur sang anglais » était née.

Godolphin Arabian fut relevé du rôle d'agaceur;

on craignait trop qu'il ne fût ressaisi de ses fureurs meurtrières. Mais Roxana, de son côté, refusait toute alliance; elle ne voulait appartenir qu'à Godolphin.

Les deux chevaux semblaient souffrir lorsqu'ils se trouvaient séparés; ils devenaient chagrins, nerveux, refusaient la nourriture. Il fallut les mettre dans des stalles voisines et, comme Roxana restait rétive à toute autre approche, on dut consentir à leur seconde union. Roxana était décidément l'épouse d'un seul cheval.

Ils n'eurent pas beaucoup d'enfants, car la magnifique blonde mourut, hélas! dix jours après ses deuxièmes couches, en 1734. Mais ils eurent beaucoup de petits-enfants.

Leur second fils, Cade, l'orphelin de mère, qui fut élevé au lait de vache, devait être le père de l'illustre Matchem qui gagna onze courses sur treize; leurs descendants, croisés aux produits de deux autres étalons arabes, The Byerly Turck et The Darley Arabian — ainsi appelés du nom de leurs propriétaires respectifs, le captain Byerly et Mr. Darley d'Aldby Park — sont les ancêtres de tous les chevaux qui depuis lors courent sur le globe.

Après la mort de Roxana, Godolphin devait vivre près de vingt ans encore. Il fut un veuf, non point inconsolable, mais triste. Plusieurs épouses lui furent offertes dont, chaque fois, naquit un cheval prestigieux, ou par lui-même ou par sa lignée, tel Régulus, telle Siletta sa petite-fille, mère de Flying Childers, dix-huit fois invaincu, et du célèbre Éclipse, les deux chevaux prodiges du XVIIIe siècle.

Godolphin Arabian, l'étalon de Gog-Magog, était

devenu illustre dans toute l'Angleterre. Son maître
lui avait donné un palefrenier maure qui ne devait
s'occuper que de lui. L'étalon, néanmoins, restait
d'humeur solitaire. Aucune compagnie, aucune présence ne semblait lui plaire, sinon celle d'un petit chat
rayé, nommé Grimalkin, qui vivait dans son box,
dormait entre ses jambes ou, pendant la journée,
ronronnait sur son dos.

Les jours de courses, Godolphin vieillissant, splen-
didement harnaché à l'orientale et monté par son palefrenier maure enturbanné, était amené sur l'hippo-
drome, lui qui n'avait jamais voulu courir, pour assister au triomphe de ses descendants. Le cheval de
soixante-quinze francs avait déjà rapporté, par sa pro-
géniture, des dizaines de milliers de livres. Les parieurs
le saluaient; les enfants l'entouraient en l'acclamant.
Lui, secouant encore sa petite tête nerveuse, sa longue
crinière et sa queue touffue, grattait le sol, feignant
l'impatience, et s'offrait à l'admiration, comme un
vieux roi.

Lorsqu'il mourut, à vingt-neuf ans passés, âge
exceptionnel pour un cheval, il fut enterré dans l'écurie
de Gog-Magog, sous la voûte qui sépare les deux séries
de stalles, et à l'endroit même d'où il avait fui vers les
bois avec la blonde Roxana.

Son nom fut gravé sur sa tombe, et des chaînes
mises autour de la pierre. Le palefrenier maure et le
chat Grimalkin moururent tous deux dans le mois qui
suivit.

Deux siècles se sont écoulés. Il n'y a plus de chevaux
à Gog-Magog Estate, confié à la Cambridge Preser-
vation Society. Seul un ancien lad, vieil homme à

cheveux blancs qui garde le domaine, se souvient encore de l'époque où le haras retentissait de hennissements, et balaie de temps à autre la tombe de Godolphin.

L'arche de la voûte est toujours là, par laquelle s'enfuirent les amants fous. J'ai marché dans la forêt de leurs amours.

Un chat rayé, un chat roux aux yeux d'or, habite l'écurie, hante le box où vécut Godolphin, et passe d'un pas prudent sur la pierre gravée.

Godolphin Arabian eut ses biographes, ses peintres et sa légende. Geo Stubbs, le grand dessinateur de chevaux, fit son portrait; Rosa Bonheur, dans un tableau intitulé *le Duel*, peignit son combat contre Hobgoglin; Eugène Sue, socialiste, turfiste et l'un des fondateurs, avec Mylord l'Arsouille, du Jockey Club, en fit le héros d'un roman. Enfin, honneur suprême, une page de l'Encyclopédie britannique est consacrée au petit prince du désert et à la race issue de lui.

Sur tous les hippodromes du monde défilent, au milieu des foules attirées, des chevaux qui sont objets d'orgueil ou de passion, sur lesquels se jouent des milliards et dont la presse, en première page, commente les victoires; il n'est pas un seul d'entre eux qui ne porte en ses veines une goutte au moins du sang de Godolphin Arabian, du cheval de roi, du traîneur de tonneaux, de l'amant humilié puis triomphant, qui portait une étoile blanche au front, et que sa destinée fit naître sur les rives de Carthage pour le mener mourir aux collines de Cambridge.

1957

LA NUÉE DE FEU

A Lucie Faure.

« C'ÉTAIT le Jeudi, Monsieur! »
La vieille dame hocha la tête, tristement.

« Oui, le Jeudi... »

Car, à la Martinique, ceux qui avaient vécu lors de la catastrophe ne disaient pas : « C'était en 1902 », ou même : « C'était le huit mai »; ils disaient simplement : « le Jeudi », comme si nul jour depuis n'avait eu le droit de porter ce nom.

Nous visitions Saint-Pierre, trente-six ans après le désastre. Était-ce là l'ancienne capitale des Antilles? Y avait-il jamais eu, à la place de cette triste bourgade côtière, une cité florissante, une ville de trente mille âmes, avec ses riches demeures, ses bureaux de commerce, sa cathédrale, son théâtre, ses parcs, disposés en étages sur les basses pentes de la montagne?

La moitié de cette ville avait disparu sous l'immense coulée de pâte grise échappée du volcan; et la végétation tropicale avait enseveli le reste.

Les rares maisons reconstruites, faites de pierres où persistait la marque du feu, avaient elles-mêmes une apparence de ruines.

Tout était gris, uniformément; gris le sable du rivage

où demeuraient plantés, inutiles bossoirs, quelques vieux canons de marine; grise la misérable jetée de bois qui permettait à Saint-Pierre de conserver son titre de port; gris encore le vieux bateau à roues qui naguère desservait la côte, et qui achevait de pourrir sur son ancre. La lumière elle-même, sous le ciel bas, avait une couleur de lave.

Au centre de la place, trop vaste, qu'aucun arbre n'ombrageait, une immense fontaine de bronze, insolite vestige des splendeurs effacées, élevait ses deux vasques taries. Trois bambins, noirs et nus, jouaient autour, et quelques vieilles métisses, en robes longues et madras passés, discutaient mollement devant un panier de poissons.

Nous venions de rencontrer cette dame âgée, aux traits doux et aux yeux mouillés, qui appartenait visiblement à l'ancienne société européenne de l'île. Elle portait un chapeau blanc sur ses cheveux argentés, un collier d'or en sautoir, et elle s'appuyait sur une canne de jonc.

Elle s'était offerte de bonne grâce à la curiosité des voyageurs et semblait même heureuse de raconter; elle parlait en souriant :

« C'était le Jeudi... Si je me souviens? Toute ma vie, Monsieur, toute ma vie. La veille, nous avions quitté Saint-Pierre. En effet, le lundi, la montagne avait eu déjà une première éruption, et toute la ville vivait dans l'angoisse. Ma mère avait supplié mon père de partir pour la plantation, où nous n'allions d'habitude que plus tard en saison. J'étais désespérée. On devait ce jour-là fêter mes vingt ans; et j'étais fiancée... Le bal fut décommandé.

« Mon père, pour atténuer mon regret, invita mon fiancé à venir avec nous aux Planchais, jusqu'au lendemain.

« A la plantation travaillait un de mes cousins, Pierre, qui m'avait demandée en mariage et que j'avais refusé. A vingt ans, vous savez... on ne s'inquiète pas de faire souffrir les autres. On y prend même plaisir, quelquefois.

« Pierre était un homme secret et brutal. Tandis que mon fiancé... c'était mon fiancé; je l'aimais.

« Après le dîner, ma sœur Claire se mit au piano. Pierre tournait dans la maison, avec un air sombre; je lui dis pour le taquiner :

— Épouse donc Claire; elle ne souhaite que cela.

« Et puis j'allai me promener un moment dans le parc, avec mon fiancé... Nous avions un beau parc, avec une grande allée de palmiers royaux... Mon cousin Pierre nous vit nous embrasser; je l'ai su depuis... »

La vieille dame resta un instant silencieuse, appuyée sur sa canne, comme si elle refaisait en pensée sa promenade d'autrefois.

« Le lendemain, je m'éveillai juste à temps pour dire adieu à mon fiancé. C'était mon cousin qui le reconduisait, dans la charrette anglaise... Je les ai vus s'éloigner ensemble. Et comme la charrette arrivait au bout de l'allée, j'ai failli crier : « Revenez. Ne descendez pas en ville... » L'air n'était pas comme à l'accoutumée, on éprouvait de la peine à respirer. Les chiens tournaient sur place, avec des yeux apeurés. Dans le ciel, on voyait passer des bandes d'oiseaux qui fuyaient la montagne. Puis nous partîmes pour entendre la messe, au village, car c'était le jour de l'Ascension. Et voilà qu'en arrivant

sur la place, nous trouvons des attroupements, et les
gens qui criaient :

— Saint-Pierre est en flammes; Saint-Pierre brûle;
une pluie de feu!... La mer bout, dans le port.

« Mon père voulut y descendre; ma mère, pour le
retenir, s'évanouit. Elle était de santé fragile, et pour
tout dire, elle avait les nerfs malades. Nous eûmes avant
tout à nous soucier d'elle.

« Vers midi, mon cousin Pierre reparut, à pied, les
vêtements en lambeaux. Il avait la peau écarlate et
toute craquelée sur le visage et les mains. Il titubait.
Du plus loin que je le vis, je lui criai :

— Pierre, Pierre, où est Simon?

« D'un signe de tête il montra la vallée, et il nous
fit le récit du malheur.

« Dès le départ, le cheval avait commencé de s'énerver, et Pierre avait eu peine à l'empêcher de s'emballer.
Comme ils approchaient de la ville, l'air s'était empli
d'une lourde odeur de soufre. Et soudain, ils avaient
vu les arbres et les champs de canne, sur leur droite,
s'enflammer · comme des copeaux. Une voiture qui
les précédait à peu de distance se trouva transformée
en torche. Un immense nuage de feu avançait qui
embrasait tout. Le cheval était devenu fou; la charrette versa. Mon cousin, projeté sur le bas-côté, avait
vu passer la nuée brûlante, tandis que mon malheureux fiancé, accroché par ses vêtements, disparaissait dans la fournaise. Tout cela n'avait pas
duré, paraît-il, plus de trente secondes. On retrouva,
le lendemain, les restes de mon fiancé, non loin de la
route... »

Brusquement, la vieille dame se mit à parler plus vite,

comme si elle avait hâte d'achever, sans pourtant vouloir rien omettre.

« Vous savez la particularité la plus étrange de cette énorme masse de gaz ardents : le bord en était net, recti-ligne. On a vu un bœuf dont l'un des flancs était tout calciné et l'autre intact... Je tombai malade ; mais il paraît qu'on ne meurt pas de chagrin à vingt ans. Nous étions à peu près ruinés. Notre maison de Saint-Pierre était détruite, et les bureaux de mon père, et les entre-pôts... J'avais pris mon cousin en horreur. Dès que je le voyais, je pensais : « Pourquoi pas lui ? Pourquoi n'est-ce pas lui qui a péri ? » Pourtant, deux ans plus tard, je l'ai épousé.

« Mon existence, dès lors, a été celle de toutes les femmes blanches d'ici : la maison, les enfants... J'ai eu neuf enfants... Il y a des choses, vous savez, dont on préfère ne pas parler aux gens parmi lesquels on vit. Dans l'île, tout le monde se connaît. Et, tout de même, on a parfois besoin de parler... Mon mari est mort, il y a quelques années. Le prêtre qui vint l'administrer lui imposa, pour pénitence, de me répéter sa confession. Il nous avait menti, le Jeudi. Il m'avoua qu'il était, ce jour-là, dans un tel état de jalousie furieuse que, tout le long de la route, il ne pensait qu'à tuer mon fiancé et à mourir aussi. Ce n'était pas vrai que le cheval s'était emporté. Au contraire, il s'était cabré et refusait d'avancer. Mais Pierre, quand il avait vu arriver le nuage, avait fouetté l'animal, aussi fort qu'il le pouvait, et sauté hors de la charrette, tandis qu'il envoyait mon fiancé s'anéantir dans le feu... Il y a chez les mourants une certaine lâcheté, vous ne trouvez pas, à demander un pardon qu'on ne peut pas leur refuser... »

La vieille dame se tut. Elle regardait la montagne, et les rides de son visage semblaient se resserrer.

Le crépuscule terne et rapide des basses latitudes tombait sur Saint-Pierre la morte. Le ciel était gris, la mer était grise.

Sans un adieu, avant même que nous ayons eu le temps de lui demander son nom, elle s'éloigna d'un pas ferme, plantant sa canne dans le sol, et contourna la fontaine de bronze aux deux vasques asséchées.

Je m'approchai d'un commerçant, assis, le ventre lourd et les genoux écartés, sur le seuil de son débit de boisson. Sous les cheveux crépus et grisonnants, il avait le regard triste des sang-mêlé, lorsqu'ils vieillissent.

— Comment s'appelle cette dame à qui je parlais, et qui s'en va, là-bas?

— Là?... Ah! C'est Ma'moiselle Harbelot, répondit-il.

— Mademoiselle?... fis-je, surpris.

— Oui, Ma'moiselle Harbelot des Planchais.

— Mais son nom de mariage?

Le cabaretier secoua la tête.

— Oh! non; jamais mariée, dit-il.

— Elle vient de me dire qu'elle avait eu neuf enfants!

— Non, non. Jamais enfants... Elle raconte, comme ça, des choses. Son cousin la surveille, mais il ne peut pas l'empêcher de sortir, toujours. Elle est folle, Ma'moiselle Harbelot. Ça lui est venu, il paraît, le Jeudi.

1938

LE CERCUEIL DE VERRE

A Liliane de Rothschild.

Par chance, le château avait deux ailes, ce qui permettait aux deux frères de ne jamais se voir. Ils étaient jumeaux. Non pas de faux jumeaux, nés de deux œufs différents; ils avaient exactement la même taille, la même voussure de l'échine, les mêmes crânes chauves et jaunes; ils frottaient du même geste leurs mains pointues, et la même méchanceté native les habitait. Ils étaient véritablement, tout au bout du dernier rameau de l'arbre des Paluselles, les deux pépins d'un seul fruit — des jumeaux monozygotes, comme la science les nomme.

L'étrangeté de leur cas tenait au fait qu'ils se haïssaient.

Le comte n'avait jamais pu pardonner au marquis de s'être présenté, lors de leur commune naissance, dans une position utérine légèrement plus favorable. Il n'avait jamais pu comprendre qu'ayant vu le jour trois heures avant son frère on lui eût infligé, pendant soixante-sept ans, la situation de cadet.

Le marquis, pour sa part, détestait le comte parce que ce dernier était protestant.

Ces deux vieux célibataires étaient le produit d'un

mariage derrière l'autel, comme il s'en célèbre assez
fréquemment, en Provence, entre catholiques et hugue-
nots, et toujours au désespoir des deux familles. En se
résignant difficilement à unir leur fille au plus beau
parti de la province, les d'Espinans avaient posé leurs
conditions, et conclu avec les Paluselles un arrangement
honorable; le premier enfant serait baptisé selon le rite
romain, mais le second devait être instruit dans la foi
réformée.

Les jumeaux n'avaient donc pas choisi leur religion
respective; elle leur avait été attribuée, comme leur
titre, selon leur rang de sortie. Néanmoins, ils ne cessaient d'y puiser des motifs d'aigreur l'un envers l'autre.

Le dimanche, le marquis allait à l'église et le comte
au temple. La semaine ne les réunissait pas davantage.
Chacun avait sa propre salle à manger et son propre
service; pour mieux s'isoler, ils avaient condamné les
pièces de réception qui formaient le corps central de leur
demeure, et dont les volets intérieurs demeuraient clos
à l'année.

Ce château, construit au meilleur temps du XVIIIe siècle, juste avant la guerre de Sept Ans, par un Théodore
de Paluselles qui s'était enrichi dans le commerce des
Noirs en Louisiane, contenait des trésors.

Le goût de cet ancêtre, quelque peu parvenu, pour
les meubles très sculptés, pour les marqueteries compli-
quées, les soieries épaisses, les hauts portraits traversés
d'un large ruban bleu, pour tout ce qui se faisait de plus
cher et de plus neuf en son temps, s'était mué, chez ses
descendants, d'abord en goût de l'œuvre d'art et de la
pièce rare, et enfin en véritable manie de la collection.

On voyait entrer, tantôt dans l'aile est et tantôt

dans l'aile ouest, des caisses qui venaient de Montpellier, de Paris, voire d'Allemagne ou d'Italie et dont nul, hormis le destinataire, n'était admis à contempler le contenu. Car les jumeaux avaient encore ceci de commun qu'ils ne recevaient jamais.

Ils ne communiquaient entre eux, pour les indispensables soins de leur fortune indivise, laquelle devait rester intégralement au dernier vivant, que par l'intermédiaire de leurs gens. Mais ils ne cessaient de s'épier. Ils étaient atteints de la même affection hépatique, qui leur donnait leur identique couleur de citron sec, et attendaient mutuellement de s'enterrer.

Le cadet estimait qu'en toute justice, puisqu'il avait été frustré à la naissance, la mort lui devait réparation; et il espérait chaque jour devenir enfin et légitimement dernier marquis de Paluselles. Un calcul d'une grosseur imprévue, bloquant ses voies biliaires, le priva de cette ultime joie.

En recevant le faire-part de son décès, soixante-deux cousins et cousines, éparpillés à travers la France, ne purent se défendre de sourire et de commencer de sombres supputations.

Aucun d'eux n'était jamais allé à Paluselles. Mais tous avaient assez d'imagination pour se représenter, posé au milieu des oliveraies et des garrigues, l'immense château, bourré de chefs-d'œuvre, et où vivaient deux vieux fous sans enfants ni neveux.

L'un des vieux fous était mort. L'autre donna bientôt de ses nouvelles.

Ce fut le cousin de Cardaillan qui, à Grenoble, reçut le premier une lettre du marquis.

« Mon cher cousin, écrivait celui-ci, je vous serais

reconnaissant de bien vouloir, dès qu'il vous sera loisible, me venir visiter à Paluselles. J'ai à prendre une décision importante, dont j'aimerais m'entretenir avec vous. Mettez-moi aux pieds de ma cousine et croyez que je suis bien, etc. »

M. de Cardaillan, quinquagénaire frileux et compassé, aux cheveux gris soigneusement tirés en arrière, et portant de longues chaussures six fois ressemelées, passait ses jours à faire l'exacte évaluation de son portefeuille de valeurs, à totaliser le produit de ses fermages, à contrôler le livre de maison, à compter les piles de torchons dans la lingerie et les têtes d'ail dans la réserve. Tout cela point par méfiance, mais par besoin de connaître exactement ce qu'il possédait.

Au reçu de la lettre, il dit à sa femme :

— Je vous l'avais toujours affirmé, bonne amie. C'était le frère qui avait un caractère impossible. Maintenant que Marc-Antoine est seul, il désire aussitôt se rapprocher de nous.

Mme de Cardaillan n'avait cessé, depuis près de trente ans, d'être en deuil. Elle avait accouché, mûri et vieilli dans le noir. Elle était grasse, impulsive, autoritaire. Ses chairs soufflées s'agitèrent au milieu des dentelles funèbres ; et elle ordonna à son mari de prendre le train aussitôt.

Tout le long du voyage, M. de Cardaillan s'abandonna à des rêves tatillons. L'espoir de dénombrer un jour tous les tableaux, toutes les pendules, toutes les soucoupes que devait contenir le château du cousin, le grisait. Et déjà il entrevoyait la possibilité de meubler ses filles sans avoir à démunir son propre grenier.

Il trouva à Paluselles un grand air d'abandon, car

non seulement les pièces centrales y demeuraient closes, mais encore on avait fermé l'aile du jumeau défunt.

Un domestique silencieux précéda M. de Cardaillan dans un escalier de service, lui fit suivre un couloir entièrement tapissé d'eaux-fortes et d'estampes, poussa une porte.

La pièce était plus encombrée qu'une boutique d'antiquaire de la Rive gauche; la lumière était assombrie par des tapisseries représentant Frédéric Barberousse en divers exploits, et si grandes qu'on avait dû en rouler la bordure contre les plinthes. Un retable flamand voisinait avec un Saint Sébastien de l'école siennoise, posé sur un lutrin gothique. Un énorme bureau, aux armes de la maison de France, supportait deux bustes d'empereurs romains. Un cabinet florentin, œuvre du temps des Médicis, faisait miroiter, sur ses huit faces et ses cent facettes, l'ébène, la nacre, l'ivoire et le lapis. Entre ces pièces maîtresses, s'entassaient quantité de bibelots de moindre importance, candélabres d'argent, coffrets de Boulle, et soupières de la Compagnie des Indes.

A supposer que chaque chambre du château fût seulement garnie du quart, Paluselles recelait des richesses incalculables; ou plutôt un homme minutieux, ainsi que l'était M. de Cardaillan, avait de quoi s'employer jusqu'au dernier de ses jours à en faire l'inventaire.

Et, soudain, le regard du visiteur fut attiré par une longue boîte de verre, posée sur un lit Louis XV tendu de damas groseille, et qui luisait doucement dans l'ombre.

La boîte de verre contenait une morte. Une très jolie morte de seize ou dix-huit ans, entièrement nue. La peau était ambrée comme celle des créoles ; les premiers cheveux frisaient au bord du front bombé, puis s'éployaient, noirs, sur les épaules minces ; l'ombre était douce autour des cils baissés ; la bouche, bien qu'elle eût pris la même teinte que le reste du corps, conservait, dans son dessin, une sensualité de fruit ; et l'embaumeur avait figé les chairs aux formes parfaites dans une sorte de nonchalance heureuse, avec un bras doucement replié sur le ventre.

M. de Cardaillan, qui avait des lettres, murmura : « *Dormeuse, amas doré d'ombres et d'abandons...* »

Seuls les doigts de pied étaient demeurés recroquevillés, témoignant d'une dernière défense et d'un dernier effroi, au moment du passage dans le néant.

M. de Cardaillan était à ce point fasciné par le cercueil de verre qu'il n'entendit pas son hôte entrer et sursauta tel un enfant pris en faute. Il n'eut pas le temps de prononcer les aimables phrases qu'il avait préparées.

— Heureux de vous voir, mon cher cousin, dit Marc-Antoine de Paluselles en frottant ses mains pointues à toute vitesse, comme s'il eût voulu en faire jaillir le feu. Vous êtes, sauf erreur de ma part, le plus proche dans ma parenté, et il y a toute vraisemblance que je quitte le monde avant vous. J'ai pensé vous instituer mon légataire universel.

M. de Cardaillan demeura bouche close et yeux fixes ; il omit de se récrier, ainsi qu'il est bienséant en pareille circonstance : « Mais voyons, mon cousin, ne songez pas à cela ; vous nous enterrerez tous ! »

L'autre poursuivit :

— Seulement, je dois vous avertir que mon testament comportera une clause secrète, qui ne peut être révélée qu'après mon décès, et que vous devez vous engager, dès à présent, à respecter. Engagement par écrit, bien entendu. Je ne vous demande pas votre réponse sur-le-champ; envoyez-la, avant quinze jours, à mon notaire, maître Torquasson, à Lunel. Voilà pourquoi je désirais vous voir.

Le marquis n'avait pas fait asseoir son cousin, ni ne lui avait offert le moindre vermouth ou sirop. Il le fit reconduire par le même escalier de service.

M. de Cardaillan, perplexe, regagna Grenoble.

— Jamais! s'écria la grosse Mme de Cardaillan quand elle eut le récit de la visite. C'est un piège. Peut-on savoir ce que ce vieux fou, par méchanceté, ira inventer dans sa clause secrète? Il nous obligera à avoir son propre cadavre, nu, au milieu de notre salon, ou bien il exigera que nous sous séparions, ou bien il nous fera créer on ne sait quel hospice qui coûtera deux fois plus que ce qu'il nous laissera. N'acceptez à aucun prix.

M. de Cardaillan passa une semaine bien pénible; puis, comme il obéissait toujours à sa femme, il notifia au notaire son refus.

Le second personnage appelé à Paluselles fut le chanoine de Mondez. Il arrivait de Marseille, enchanté d'avoir eu l'occasion d'un déplacement. C'était un tout petit homme, presque aussi âgé que le marquis. Il avait le crâne duveteux d'un poussin éclos à la mauvaise saison; sa distraction était sans limite. Ce jour-là, il avait mal noué sa large ceinture de moire dont la frange ratissait le sol à un mètre derrière lui.

Il écouta à peine le cousin Marc-Antoine, tout en lui répondant :

— Mais bien sûr; mais comme je comprends! Vous

aimiez tant votre cher frère; vous viviez si unis!

Il marchait sans arrêt, les mains enfoncées dans les poches de sa soutane dont il élevait et abaissait les pans, comme de grandes ailes, menaçant les porcelaines.

— Duccio da Siena, n'est-ce pas? ou son école... dit-il en désignant le Saint Sébastien. Une merveille!

Puis s'approchant du cercueil de verre :

— Ah! quelle bien jolie cire vous avez là, mon cousin! Une pièce très rare! Est-ce un travail français?

Mais quand le marquis lui eut fait remarquer qu'il admirait un vrai corps, le chanoine s'écria : « Ah! mon Dieu! » et se couvrit les yeux.

En vain le marquis de Paluselles voulut parler de la clause secrète; le chanoine agita la main en signe de dénégation, et il partit aussitôt, comme s'il s'était aventuré par erreur dans la chambre à coucher du diable.

Il fallut que maître Torquasson lui écrivît à Marseille pour recevoir son refus paraphé.

La quinzaine suivante amena un couple de récents mariés, les Choulet de Longpois. Le mari était jeune magistrat au tribunal de Lodève; la femme, une petite brune, au visage rond et joli, riait avec facilité.

Le domestique taciturne les sépara au pied de l'escalier de service. Le magistrat fut seul introduit auprès du marquis. La visite fut aussi brève que les précédentes; mais, à l'instant où les Choulet de Longpois s'apprêtaient à repartir dans la voiture de louage qu'ils avaient prise à la gare, le domestique réapparut, priant la jeune femme de le suivre, et la conduisit au marquis.

Celui-ci, de ses yeux vernis de bile, examina sa jeune cousine, tout en lui adressant quelques paroles banales;

puis, la prenant par la main, il l'attira auprès du lit de
damas groseille, et lui dit :

— Pourrais-je vous demander de vous déshabiller?

La jeune femme poussa un hurlement et courut à l'escalier, tandis que, derrière elle, le vieux Paluselles s'écriait :

— Mais non! Vous vous méprenez complètement,
ma cousine! Je ne vous ai pas expliqué...

Il parlait encore qu'elle était déjà en voiture.

— Partons, partons tout de suite! Je te raconterai
après, dit-elle à son mari.

— Quoi? Qu'est-ce qu'il y a? Le cercueil de verre?

— Oui. C'est ça. Le cercueil...

— C'est bien ce que je pensais... Je crois que je
vais refuser, dit le jeune magistrat. C'est vraiment trop
inquiétant.

Dans les mois qui suivirent, le défilé continua. Hobe-
reaux, bourgeois, pères qui ne savaient comment
doter leurs filles, célibataires aisés, militaires de carrière,
diplomates accomplirent à tour de rôle la visite d'héritage; tous arrivèrent, caressant les mêmes illusions, et
repartirent avec la même impression de cauchemar.

Au début, le marquis accompagnait leur sortie d'un
léger ricanement. Maintenant, il ne souriait plus. Il
s'impatientait et avait réduit à huit jours le temps
accordé pour la réponse au notaire. On remarqua qu'il
ne faisait sa proposition testamentaire qu'aux mâles de
sa parenté, mais que, toutefois, il désirait souvent
connaître les épouses ou les filles.

— Voulez-vous mon avis? C'est un sadique qui
cherche sa victime, affirma, au cours d'un dîner de
famille, une cousine imaginative, qui se prétendait
versée dans les problèmes de névrose. Et un sadique

post mortem, si je puis dire! Il se sert de l'appât de sa
fortune pour attirer l'un ou l'une d'entre nous dans
quelque drame atroce qui se dénouera après son trépas.
Celui qui acceptera sera ou complètement inconscient,
ou bien terriblement courageux.

Le courageux se présenta. Il venait le trente-neuvième
sur la liste de parenté. Il s'appelait Hubert Martineau.
Une crise de paludisme, qui l'avait brusquement jeté
sur son lit, grelottant, délirant, avec quarante et un
degrés de fièvre, venait de le sauver, la semaine précé-
dente, d'un suicide médité. A vingt-huit ans, il avait
déjà mangé une fortune considérable, moitié sur les
tables de jeu et moitié dans de désastreux négoces avec
l'Extrême-Orient. Il venait d'être abandonné par deux
femmes qu'il aimait également, et qui avaient eu la
malencontreuse révélation de cette division du cœur.
Il était aussi un peu opiomane. Il dut emprunter au portier de son hôtel l'argent du voyage.

— Et quand bien même, expliqua-t-il en rentrant,
j'aurais signé un pacte avec le diable; quand bien même
je me serais engagé... je pousse les choses à l'absurde...
à mourir dans l'année qui suivra, qu'est-ce que cela peut
me faire? Je n'ai plus rien à perdre. D'ailleurs, je serai
vite fixé; le bonhomme a déjà un pied dans la tombe.

Le marquis Marc-Antoine de Paluselles mit près de
trois ans et demi à avancer l'autre pied. Ce fut au bout
de ce temps que les Cardaillan, les Choulet de Longpois
les Mombresles, la cousine experte en névroses, le chanoine
et tous les autres reçurent, de maître Torquasson, une
convocation à quinzaine pour ouverture de succession.
Ils en furent fort surpris. N'avaient-ils pas tous fait
savoir leur renonciation? Et n'avait-on pas entendu dire

que le petit Hubert Martineau, ce cerveau brûlé, évidemment, ce joueur, ce très mauvais sujet, « à qui il arriverait un jour une sale histoire », avait accepté? A moins que ... le testament était peut-être entaché de nullité. Peut-être allait-on procéder à un partage pur et simple! La cupidité leur repoussait au cœur, comme chiendent après la fenaison.

L'étude de maître Torquasson n'avait jamais reçu tant de monde à la fois. Tout le cousinage était empilé sur des sièges de fortune, ainsi qu'à une vente aux enchères. En dépit des persiennes fermées, il faisait une chaleur écrasante. Mme de Cardaillan se liquéfiait au milieu de ses voiles. Le chanoine de Mondez s'était trompé de chapeau, en descendant du train, et se demandait comment il pourrait retrouver le voyageur dont il avait, par mégarde, emporté le panama. Hubert Martineau était en retard : c'était le comble! Un pied impatient, de temps en temps, battait le sol.

Enfin Hubert arriva dans une longue voiture de sport. Son existence, dans l'intervalle, s'était totalement transformée. Devenu, par sa situation d'héritier présomptif de la fortune Paluselles, un très beau parti, il avait épousé la fille d'un puissant coulissier à la Bourse de Paris. Sa femme, jeune personne parfaite, avait eu sur lui la meilleure influence, l'avait aidé à se désintoxiquer, lui avait donné un enfant. Il s'était relancé dans les affaires, mais cette fois avec succès. Maintenant qu'il était confortablement installé dans la vie et présidait trois conseils d'administration, il n'avait plus le même sens du risque. Et voici que l'échéance arrivait... Maintes suppositions tragiques se bousculaient dans son esprit.

Étonné de trouver si nombreuse assistance, Hubert

salua à la ronde, et, faute qu'il restât un siège, s'assit sur le bord de la fenêtre.

— Mesdames et messieurs, commença le notaire, je tiens d'abord à vous prier de m'excuser de vous avoir imposé ce fatigant voyage. Mais votre défunt cousin, bien que vous lui ayez, tous sauf un, notifié par mon entremise votre refus, a expressément stipulé dans un codicille qu'il désirait votre présence à la lecture de son testament.

Le notaire marqua un temps et reprit :

— Monsieur Hubert Martineau...

Hubert sursauta légèrement.

— Oui... fit-il.

— Êtes-vous toujours décidé à accepter la succession du marquis, compte tenu de la clause que vous ignorez encore?

Il y eut un moment de silence où tous les cousins avalèrent leur salive, comme pendant une descente en téléphérique. « Comment? Je pourrais encore refuser? » se dit Hubert. Il vit tous les regards qui l'épiaient. Il était semblable au joueur qui se demande, sur un énorme banco, s'il garde la main ou s'il l'abandonne. Ce fut le respect humain le plus absurde, mêlé de ces raisonnements de joueur, souvent si décevants... je suis dans une bonne passe; ça doit marcher... qui lui fit répondre au notaire, avec une apparence de grand calme :

— Mais parfaitement; j'accepte.

Quoi qu'il arrivât, il était en tout cas redevable à ce testament de trois ans de bonheur...

— Alors, Monsieur, dit maître Torquasson, dépliant une feuille unique, voici l'acte qui vous concerne... « Ceci est mon testament. Je lègue à mon cousin

Hubert Martineau tous mes biens et possessions, meubles
et immeubles... à la condition formelle, qu'il s'est
engagé à remplir, de relever le nom de Paluselles et
de le porter désormais, ainsi que les titres qui s'y atta-
chent. » Telle est, ajouta le notaire, la volonté secrète
du testateur qui désirait que le nom de ses ancêtres
ne s'éteignît pas avec lui.

Il y eut juste un « Ah! » assez aigu, poussé par la
grosse Mme de Cardaillan. Les autres membres de la
de la famille parvinrent à se contenir. M. Choulet de
Longpois, mordant sa fine moustache, tenait sa femme
sous un regard furieux, et la malheureuse petite personne
se sentait vaguement coupable, sans savoir pourquoi.

— J'avais bien raison de dire que c'était un sadique,
prononça entre ses dents la cousine experte en névroses.

C'était là une affaire à brouiller plusieurs ménages,
à hâter les adultères, à inspirer aux enfants le mépris
de leurs parents, à dénuder les vrais sentiments que
ces gens nourrissaient les uns pour les autres; c'était
vingt ans assurés de reproches, de disputes, de respon-
sabilités rejetées, de portes claquées dans des maisons à
façades respectables. « Si vous n'aviez pas été assez
bête, mon pauvre ami, pour refuser la succession Paluselles!... Tiens! C'est sur le conseil de ton intelligente
mère... Et pour que tout cela aille échoir à ce petit sau-
teur, cet aventurier qui n'est pas même de notre
monde!... »

Ah! certes, il ne risquait plus de tomber dans l'oubli,
le nom des Paluselles!

Hubert Martineau souriait, un peu bêtement, touchait
quelques mains haineuses qui avaient plus envie de
lui serrer la gorge que les doigts.

Le chanoine de Mondez, dissimulant le chapeau de panama dans le dos de sa soutane, demanda au notaire :

— Et ce cadavre impudique que le marquis avait dans son salon? Pourriez-vous m'expliquer, maître...

— Eh bien! monsieur le chanoine, d'après ce que j'ai pu reconstituer, je crois que ce corps a été ramené de la Louisiane, par le marquis Théodore, il y a environ deux siècles. Une femme de là-bas qu'il aurait passionnément aimée. Et qui, même morte, a provoqué encore des sentiments étranges! poursuivit le notaire en attirant le chanoine un peu à l'écart. Le dernier marquis et son frère jumeau, lorsqu'ils étaient encore enfants, avaient découvert, un jour, en jouant, ce cercueil de verre, depuis longtemps relégué et oublié dans une soupente du château. Ils n'en dirent rien à personne. Puis, lorsqu'ils héritèrent de leur père, dans l'indivis comme vous le savez, le marquis profita de ce que le cercueil, évidemment, n'était pas inscrit à l'inventaire général pour se l'approprier. La brouille qui a divisé ces messieurs de Paluselles, pendant plus de quarante ans, avait peut-être bien là sa raison profonde. Il est un fait que ni l'un ni l'autre ne se sont jamais mariés; et mon prédécesseur dans cette étude m'a même affirmé qu'ils n'avaient jamais... comment dirais-je... enfin, vous me comprenez, monsieur le chanoine..., parce que, quand ils se trouvaient devant une femme, ils avaient l'obsession de la morte, et n'en rencontrèrent jamais qui lui ressemblât suffisamment.

— Ah! c'est curieux, très curieux, dit le chanoine en dépiautant machinalement le bord du chapeau de paille. Que ne se sont-ils faits curés, alors... au moins celui qui était catholique!

Le notaire haussa les épaules, dans un vague geste d'ignorance.

— De toute manière, acheva-t-il, l'affaire est enterrée, c'est bien le cas de le dire. En transportant la bière du marquis à travers la pièce, les croque-morts ont cogné le cercueil de verre qui s'est brisé. Et le corps que vous avez vu s'est pratiquement pulvérisé. Il paraît que cela arrive aux cadavres embaumés depuis longtemps. On a mis les débris dans un coffret, et on a déposé le tout dans le caveau.

— Je dirai une messe, à tout hasard, répondit le chanoine.

1948

LE HUSSARD DE L'ORIENT-EXPRESS

A Marcel Haedrich

CE que je vais conter survint pendant l'hiver de
1938, en ces mois où le monde commençait une fièvre
dont il devait sortir, sept ans plus tard, défiguré. Mais
l'angoisse de la guerre ressemble à la migraine et aux
peines d'amour; les hommes en portent la diffuse souffrance tout en satisfaisant aux tâches quotidiennes de
leur destin.

Constantin Sardak, producteur américain aussi fameux
pour ses faillites et ses divorces que pour quelques films
dont les titres habitent encore nos mémoires, Constantin Sardak, cet hiver-là, cherchait une histoire. Une
grande histoire, une histoire sentimentale, un sujet
miracle...

— *I want a romance*, répétait Sardak, ayant vainement pesé, sans les lire, vingt ouvrages illustres, de *la
Princesse de Clèves* à *la Chartreuse de Parme*.

Pouchkine, Balzac, Thomas Mann, il avait écarté
tout cela de sa main courte.

— *I want a romance*. Les hommes ont peur; il faut
leur donner du rêve.

Le crâne chauve couvert de petites taches brunes,
l'œil noir et huileux entre des paupières sans cils, le

corps gigantesque, l'estomac en bonbonne, Sardak, à travers une Europe qu'ébranlaient les martèlements de bottes, les cris des dictateurs et les clameurs des assemblées, pourchassait un fantôme d'idée, une « romance » à laquelle il pût accrocher sa fortune et ses espérances. Ainsi, d'hôtel Claridge en hôtel Claridge, de Mayfair aux Champs-Elysées, de Lido en Croisette, il avait fini par se trouver à Vienne, la veille de Noël. Baleine échouée sur des plages de velours, dans la crique rouge et dorée du bar de l'Hôtel Sacher, Constantin Sardak, avalant sans satiété de larges plats de pâtisserie, cherchait à convaincre un ami hongrois de l'accompagner sur-le-champ à Budapest.

Apercevait-il seulement autour de lui les nouveaux maîtres de l'Autriche, civils autoritaires portant leurs dossiers de conquête, militaires astiqués, redressés, arrogants? Voyait-il la feinte obséquiosité dont on les entourait? Discernait-il les semences de haine, de ruine et de mort qui s'entassaient là, entre les banquettes pelucheuses et les appliques de bronze? L'Anschluss datait de neuf mois.

— Je me souviens mal de la Hongrie, disait Sardak la bouche pleine. Je l'ai traversée en 1920, quand j'étais réfugié et que je mendiais mon pain. J'avais trop faim; je n'ai rien vu. Mais je sais que votre pays est un pays... de romance. C'est là que je trouverai mon histoire d'amour. Matthias, partons pour Budapest; vous me servirez de guide.

— Je crains que vous ne soyez fort déçu, répondit le Hongrois dont la voix était calme, chantante et désabusée. Mon pays est un pays comme les autres, et Budapest une capitale semblable aux autres capitales. Elle a ses monuments anciens et ses maisons neuves, ses cafés pauvres et ses restaurants de nuit. Un orchestre tzigane ne fait pas l'aventure... Mais si vous y tenez tant, Kostia, allons-y! Vous y perdrez vos illusions, mais vous vous éviterez des regrets.

Dans la rue viennoise, les régiments nazis défilaient en chantant, et les croix gammées des brassards tournoyaient devant les yeux tristes des passants.

*
* *

L'Arlberg-Orient-Express quittait Vienne à 8 heures du soir. Cinq minutes après le départ, Sardak, balançant son grand corps à travers les soufflets des wagons, gagna la voiture-restaurant; il y resterait, comme à son habitude, jusqu'à la fermeture, se faisant servir le menu trois fois de suite, entièrement.

Le grand train d'Orient, parti la veille de Paris et qui n'arriverait que le surlendemain à Constantinople, diminuait sa vitesse, sur cette partie du trajet, afin que les voyageurs pussent dormir la nuit entière et débarquer à Budapest avec l'aurore. Il s'enfonçait donc sans hâte dans d'immenses forêts dont les arbres fuyaient à l'infini, comme des tuyaux d'orgue. Une plaine, parfois, coupait de son étendue miroitante ces interminables solitudes boisées. La lune éclairait la neige, et les voyageurs enfermés dans leur longue boîte d'acajou, de vitre et de nickel, roulaient à travers un monde aux couleurs inversées où la terre était plus claire que le ciel.

L'air, dans les voitures, était imprégné de cette

odeur de suie qui composa pendant un siècle la saveur des longs voyages.

Il y avait peu de dîneurs au restaurant, presque tous des hommes que leurs affaires obligeaient à passer cette nuit de fête dans un train aux deux tiers vide. Les conversations étaient décousues et sourdes; les isolés liaient mollement connaissance, n'échangeant que des banalités, car la contrainte, le soupçon, la crainte de la délation veillaient dans chaque conscience.

Tous les regards se tournèrent en même temps vers la femme qui entrait. Elle paraissait n'avoir pas trente ans et portait des vêtements de deuil. Elle était belle, presque avec excès. Le court voile de crêpe noir, glissant d'un chapeau de feutre et rejeté autour du cou, rehaussait, par contraste, la pureté claire du teint, soulignait le menton aux lignes parfaites, les lèvres soyeuses, à peine fardées. Le jeune femme s'assit, seule à une table. Sa main blanche et légère, aux ongles naturels, repoussa son voile en arrière de la joue. Les cheveux blonds, massés sur la nuque, dissimulaient mal les promesses de leur chute dénouée; mais les yeux ne promettaient rien à personne. Immenses, bleus et froids, ils étaient posés sur la nuit, un peu au-dessus des visages avoisinants, et si, parfois, ils s'abaissaient vers un autre regard, ils semblaient n'y voir encore que la nuit.

— Cette veuve est une grande beauté, dit Sardak à son compagnon.

— Qui vous fait penser qu'elle soit veuve? demanda le Hongrois.

— C'est juste, dit Sardak; ce n'est pas forcément d'un mari qu'elle porte le deuil.

Et il se remit, tout en mangeant, tantôt regardant

le paysage, tantôt regardant la femme, à essayer de définir pour lui-même et pour son interlocuteur les caractéristiques du parfait scénario sentimental.

Chaque homme, dans le wagon, espérait l'incident, la serviette qui glisse, la bouteille renversée, ou bien la rencontre tout à l'heure dans le couloir, qui lui permettrait d'engager la parole avec la trop belle femme en deuil; chaque homme appréciait, à la dérobée, le buste noble et la cheville longue. Mais nul ne se sentait assez de courage pour remettre à sa propre volonté, et non à une fortuite maladresse, l'échange des premiers mots. Nul n'osait accomplir ce qui est nécessaire, si l'on souhaite connaître un autre être et s'en faire connaître; se diriger vers lui et lui parler. La voyageuse, défendue par sa beauté, sa solitude et son détachement, semblait n'être placée là que comme un regret.

— Je n'ai jamais eu de chance avec les femmes, dit Sardak, sauf dans mon métier.

Il ne caressait pour lui-même aucune espérance, savait que sa main courte et grasse, même tendant des cigarettes dans un étui d'or, serait repoussée d'un « merci » sec, sans sourire.

L'arrêt-frontière n'offrit guère d'aliment à la curiosité des voyageurs, ni d'occasion à leurs souhaits. La jeune femme présenta son passeport aux douaniers qui le feuilletèrent rapidement, y posèrent un tampon, le lui rendirent. On n'avait pas même entendu sa voix ni pu reconnaître la langue qu'elle parlait.

Et le train reprit sa marche lente, entre les bois et les champs, sous la lune jaune.

— Maintenant nous sommes donc en Hongrie, dit Constantin Sardak.

Sa grande narine s'ouvrit, se plissa, comme s'il cherchait à saisir un parfum nouveau; son gros œil scruta les espaces neigeux et déserts. Puis, après quelques minutes, il demanda :

— Matthias, est-ce qu'on se déplace encore beaucoup à cheval dans votre pays?

Il avait aperçu, se détachant sur un champ blanc, deux cavaliers qui, venant de l'horizon, galopaient vers le train. Leurs silhouettes grandissaient d'instant en instant et la lune mettait quelques reflets, accrochaient quelques minuscules étoiles aux aciers de leurs harnachements. Ils disparurent un moment, comme s'ils avaient changé de direction, ou été distancés. Puis soudain, près de la dernière vitre du wagon, deux têtes de chevaux surgirent de la nuit, le mors mousseux, l'encolure allongée par l'effort, la crinière flottante; et leurs beaux yeux bruns, effrayés par le côtoiement du train, reflétaient la lumière des lampes.

Les fourchettes des dîneurs étaient demeurées en suspens au-dessus des assiettes. Les deux cavaliers venaient d'apparaître, penchés sur l'encolure de leurs montures. Celui qui galopait contre le flanc de la voiture-restaurant était un jeune officier de hussards, l'autre un homme de troupe, son ordonnance certainement. L'officier gagnait du terrain sur le wagon, et regardait à l'intérieur, y cherchant quelqu'un. Les fourragères d'argent battaient sur son schako d'astrakan. Il était si proche de la paroi que, même à travers le grondement des roues, on distinguait le bruit de la galopade sur le ballast.

C'est alors que la femme blonde se dressa à demi, frappa la vitre de ses doigts pliés et cria : « Stepan! ».

Un grand sourire blanc, étincelant de bonheur, lui répondit de l'autre côté de la fenêtre, et l'officier cria un nom qu'on n'entendit pas. Puis le hussard ralentit un peu l'allure, laissa le wagon glisser contre lui; et, quand les chevaux furent à la hauteur de la porte arrière, il lança ses rênes à son ordonnance, déchaussa ses étriers, passa une jambe par-dessus l'encolure, et saisissant au vol les deux montants de cuivre, sauta, d'un coup de rein, sur le marchepied. L'instant d'après il pénétrait dans la voiture, et avec lui entra tout le froid de la nuit.

De moyenne taille, mais bien prise, la poitrine large et les hanches étroites, la lèvre couverte d'une courte moustache châtaine sous un nez fier et droit, il avançait d'un pas léger entre les tables. La voyageuse s'était levée et courait à lui. L'officier de hussard dit :

— Elizabeth !

Et la femme blonde répéta :

— Stepan !

Leurs bras s'ouvrirent : ils s'y élancèrent comme vers un refuge ou un paradis. Le baiser fut le geste naturel de leur rencontre, un baiser interminable, passionné, à perdre l'âme. Le voile de deuil, déroulé, s'était accroché aux épaulettes d'argent; la poitrine de la jeune femme s'écrasait contre la tunique pourpre et le cuir du baudrier; la belle jambe, couverte d'un mince bas de soie, se pressait contre les bottes noires ruisselantes des neiges traversées.

Insouciants de tous les regards tournés vers eux, confondus, perdus en eux-mêmes au milieu d'un monde aboli, on eût dit qu'ils allaient pour l'éternité rouler ainsi dans la nuit, bras enlacés et bouches unies.

Enfin au bout de leur souffle et de leur aveu muet, leurs mains se détachèrent de leurs épaules, leurs corps se

séparèrent. Et vingt soupirs s'échappèrent en même temps
des lèvres des assistants. A côté du wagon, les deux
chevaux continuaient de galoper, menés par l'ordonnance.

Le lieutenant recula d'un pas, se redressa, et les
voyageurs tressaillirent en entendant claquer ses éperons; il porta la main à son schako, saluant son amour
comme il eût salué sa patrie; et puis, superbe, embelli
d'une incertaine victoire, il gagna la porte.

L'ordonnance maintenait le cheval à hauteur du
marchepied; l'officier empoigna la crinière, se remit en
selle d'un saut, reprit ses rênes, salua encore, franchit
le talus, et s'éloigna à travers les champs blancs.

Dans le wagon, la femme blonde se rassit à sa place;
et seulement alors les fourchettes se reposèrent sur les
assiettes. Chacun se taisait, de peur de troubler un miracle; chacun se demandait quels étaient ces amants
d'un impossible amour, et quelles espérances, quel attrait
mortel, quels destins s'étaient joués dans ce baiser
arraché au temps et à l'espace. A combien de semaines,
de mois, remontait le dernier baiser qu'ils avaient
échangé? L'avenir leur en permettrait-il un autre?

Un dolman rouge s'enfonçait dans la nuit. Un voile
noir encadrait un visage d'une pureté sans seconde...

Sardak fut le premier à oser parler.

— Et vous prétendez, Matthias, que votre pays est
un pays comme les autres? dit-il.

Puis il se leva, énorme, gavé, monumental; et sûr
de lui maintenant, sûr d'avoir trouvé sa « romance »,
décidé à la poursuivre jusqu'au bout, il se dirigea lentement vers la femme en deuil.

*
* *

Dix années plus tard, à Paris, la nuit du 31 décembre, un homme sans manteau, frissonnant dans un vêtement usé, hésitait devant l'entrée d'un cinéma des boulevards. L'enseigne lumineuse annonçait : *Le Hussard de l'Orient-Express.*

L'homme sortit de la monnaie de sa poche, la compta, parut hésiter encore et se décida enfin à demander un billet. Il avait dans la voix la timidité des gens qui parlent difficilement une langue, et qui dépensent leurs dernières ressources.

Les solitaires sont rares, les soirs de réveillon, et leur solitude est comme un reproche. Cet étranger maigre, au front dégarni, au visage creusé, portait toutes les marques du réfugié, de l'errant.

Il pénétra dans la salle chaude, et, murmurant de courtoises excuses, il alla coincer sa misère entre les familles tranquilles et les couples rapprochés.

Le film était commencé. Sur l'écran, roulait un train à travers une tempête de neige ; un régiment de hussards, sabre au clair, galopait à côté de la voie. Puis l'image montra l'intérieur de la voiture-restaurant. Une femme blonde, très belle, rêvait seule à sa table devant une coupe de champagne.

Du milieu de la salle partit un cri :

— Elizabeth !

Les spectateurs tournèrent la tête, furieux d'être distraits en un moment si palpitant de l'action, alors que le jeune premier, bâti en athlète, sautait dans le wagon et s'avançait vers l'héroïne.

— Je vous demande pardon, Monsieur... pardon, Madame...

L'homme à l'accent étranger, qui avait dérangé toute

une travée quelques instants avant, s'était levé et voulait sortir.

— Assis! crièrent les gens derrière lui.

Son dos leur cachait les lèvres immenses et maquillées qui se cherchaient, s'unissaient, emplissant l'écran de leur fébrilité savamment éclairée.

— Ah non... je ne peux plus rester... pardon, Madame, murmurait le gêneur.

Il parvint à franchir tous les genoux qui lui faisaient obstacle. Les ouvreuses le virent surgir des portes, le visage défait. Il crut devoir leur dire, en passant :

— Je reviendrai, je reviendrai.

Et quand il fut sur le boulevard, il leva les yeux vers le ciel noir, pour qu'on ne le vît pas pleurer.

1958

VOTRE ÉPOUSE D'UN JOUR

A Christine de Rivoyre.

MONSIEUR de Longeville était né à Longeville, il y avait grandi, il y avait vécu, il l'avait hérité à la mort de son père, et il était attaché à cette terre par des racines si profondément enfoncées, il faisait si bien corps avec les pierres de son château, il était si mêlé à l'herbe de ses champs et à la sève de ses forêts, qu'il n'imaginait pas pouvoir habiter, respirer, exister en aucun autre lieu de l'univers.

Il disait volontiers : « Si je devais perdre Longeville, j'aimerais mieux qu'on me coupât la tête. » Paroles imprudentes, car il les prononçait à la veille d'une révolution qu'il ne voyait pas venir et qui allait le forcer de faire son choix.

A Paris, on prit la Bastille, et M. de Longeville, parce qu'il avait beaucoup lu l'Histoire, jugea qu'il s'agissait d'une petite émeute comme il en survenait sous tous les règnes. Puis, on parla de constitution, et M. de Longeville, parce qu'il était voltairien, n'y trouva rien à redire. Puis, le roi fut poussé à l'échafaud, et la Montagne commença de faucher les rangs de la Gironde, en même temps qu'on faisait partout de rouges moissons d'aristocrates. On était en pleine Terreur... M. de Longeville resta à Longeville.

Il était seul; seul dans sa province d'où tous ses amis, parents, alliés étaient partis, les uns pour l'armée des Princes et les autres pour la guillotine; seul dans son château, car ses vieux domestiques étaient morts, et les jeunes s'étaient enrôlés dans les troupes de la République. Les servantes même avaient disparu, de peur d'être compromises.

Si bien qu'il n'avait jamais eu tant d'occupation, et que le temps ne lui pesait pas trop. Il se faisait cuire des œufs dans la cheminée de son salon; il devait chaque soir peigner lui-même sa perruque et la poudrer chaque matin (il avait fait bonne provision de poudre); et tout le long du jour, un trousseau de clefs en main, il allait de chambre en chambre secouer les araignées qui tissaient toile dans les rideaux, ou bien épousseter ses ancêtres peints. S'il prenait un instant de repos, c'était pour contempler, en soupirant, l'algue et le cresson qui avaient envahi les douves, sabrer de sa canne les herbes folles sous lesquelles disparaissait le grand jardin à la française, ou aller cueillir aux espaliers du verger la pêche tardive que les chenilles avaient bien voulu lui laisser. Même en cet abandon, en cette déchéance, Longeville lui paraissait plus beau que toute chose au monde, et valoir bien qu'on s'y consacrât.

Pour lui-même, et en dépit des plus sinistres récits, il s'obstinait à ne pas craindre, car les paysans de Longeville, tout comme les champs sur lesquels ils travaillaient, lui paraissaient différents des paysans d'ailleurs. Il avait été leur maître, comptait bien le redevenir grâce aux armées du comte d'Artois, et se persuadait qu'à rester parmi eux il risquait moins que nulle part.

C'était un de ses fermiers, Philippon, qui était devenu maire et président du Comité révolutionnaire. Le marquis le connaissait bien, ce Philippon. Pas un mauvais homme, mais une forte gueule, et que le goût de s'entendre parler avait mené là. Naturellement, Philippon ne payait plus ses fermages.

« Ils n'oseront pas aller plus loin, ils n'oseront pas me toucher, se répétait souvent M. de Longeville. Mais si je m'en vais, alors ils brûleront le château et ils saccageront tout. »

Pour se réconforter, il feignait de croire chaque jour que la République serait renversée le lendemain, et que tout recommencerait comme avant... et qu'il aurait sauvé Longeville.

Tant d'attachement, de dévouement à un lieu est rare chez un homme jeune... Car j'ai oublié de vous dire que M. de Longeville était jeune encore et qu'il était beau. De bonne stature, la taille mince, la jambe droite, et le front haut, il n'avait rien de bien saillant dans le visage, sinon le nez, qui lui donnait grand air. Portant gilet fleuri, dentelles et talons rouges, il était tout à fait comme on imagine un marquis de campagne, à cette époque-là.

Il existe ainsi, de temps à autre, des gens qui répondent justement à l'idée qu'on se fait d'eux. M. de Longeville en dépit de quelques tics à lui, comme par exemple d'essuyer son tabac non point à son jabot, mais à sa culotte, était de cette sorte, et l'on peut s'en convaincre en regardant un portrait, conservé au musée d'Alençon, et qu'on affirme être le sien.

Il avait eu de grands succès auprès des dames, lorsque toute la province s'épuisait en bals et se délassait en bergeries. Maintenant, il n'avait plus que des souvenirs pour lui tenir compagnie. Mais il ne les prenait pas tristement, trouvant qu'il valait mieux avoir des souvenirs sur lesquels s'attendrir que de n'avoir rien eu.

Le soir anniversaire de ses trente-cinq ans, qui fut en septembre de 1793, M. de Longeville décida de se donner à dîner; c'est-à-dire qu'il alluma sur sa table un candélabre d'argent, trois chandelles en place d'une, monta de sa cave une bouteille de vin doux qui lui restait, et brouilla ses œufs au lieu de les manger durs. Puis, s'étant mis en robe de chambre, il se fit de la musique en regrettant bien de ne pouvoir aussi se faire danser. Pendant une heure, les doigts sur l'épinette, il se régala de menuets, de gavottes et de cavatines, puis il s'assit au coin de la cheminée, et, le vin doux aidant, s'endormit.

Il fut réveillé par quelqu'un qui lui tirait la manche et criait :

— Monsieur le marquis, il faut fuir, on vient vous arrêter !

Il ouvrit les yeux et vit une fillette tout essoufflée, les joues rouges d'avoir couru. C'était la fille de Philippon. Elle avait une quinzaine d'années, une fanchon de toile sur ses cheveux rousseaux qui lui tombaient jusqu'aux épaules, une jupe en loques, des mollets ronds et des paupières comme des pétales de roses. Une jolie fillette vraiment, avec un bon accent normand qui traînait sur les voyelles. M. de Longeville la connaissait bien, comme il connaissait tous les enfants du village.

— Que me veux-tu, petite? demanda-t-il.

— Fuyez, Monsieur le marquis, fuyez que je vous dis! Ils arrivent... C'est chez mon père, j'ai entendu...

Faut vous en aller tout de suite... Ils vont sûrement vous envoyer à Paris.

M. de Longeville se leva, alla jusqu'à la fenêtre. Ah! la belle nuit sur son parc! A cette heure, on ne voyait pas que les arbres avaient besoin d'être élagués, et la lune sur l'étang posait un reflet blanc. Soudain, il aperçut un groupe d'hommes qui montait vers le château. Il les aperçut et il les entendit, car ils menaient si grand vacarme en criant : « A mort l'aristo! » qu'on eût pu croire que certains le voulaient prévenir. Leur bruit devait porter jusqu'au chef-lieu. L'éclair des faux brillait sur leurs épaules.

Alors, M. de Longeville perdit toute hésitation et, entre son château et sa tête, il fit en une seconde ce choix qu'il différait depuis si longtemps.

Il se laissa prendre par la main et entraîner à travers sa demeure. La gamine lui fit dévaler l'escalier des cuisines, le seul qu'elle connût; ils sortirent du côté des communs, franchirent le verger, et, par une brèche au mur du parc, ils gagnèrent la campagne.

M. de Longeville s'étonnait de pouvoir courir si vite en pantoufles. Les pans de sa robe de chambre lui battaient les jambes, et, tout en allant sans diminuer le train, il se demandait : « Comment s'appelle-t-elle? Son prénom, voyons,... c'est la fille à Philippon, cela je le sais bien; mais son prénom... »

De temps à autre, il se retournait, s'attendant à voir un bouquet de flammes sortir de ses toits; et comme il n'apercevait rien de tel, il pensa que le Comité révolutionnaire était en train de piller les vitrines et d'éventrer les tableaux avant de mettre le feu.

— Où m'emmènes-tu ainsi, petite? dit-il.

— Dans un endroit que je sais, Monsieur le marquis, où on ne vous trouvera pas.

M. de Longeville ralentit un peu pour reprendre souffle. On n'entendait rien, et il ne paraissait pas qu'on se fût mis à leur poursuite. Soudain, le marquis se rappela : « Marguerite! Elle s'appelle Marguerite. »

— Pourquoi as-tu fait cela, Marguerite? demanda-t-il. Pourquoi veux-tu me sauver? Et comment vas-tu faire avec ton père?

— Ce n'est pas moi qui vais aller lui dire.

— Tu risques gros, tu sais!

— Je ne veux pas que vous mouriez, Monsieur le marquis, je ne veux pas! s'écria la petite. Je ne veux pas qu'ils vous envoient à Paris pour vous couper la tête.

Elle se frotta les yeux. Quand elle reprit la main de M. de Longeville, celui-ci s'aperçut que la paume de l'enfant était toute mouillée. Si Marguerite, maintenant, s'accrochait à ses doigts, c'était moins, semblait-il, pour le guider que pour s'appuyer à lui.

Ils descendirent ainsi au creux d'un vallon, puis remontèrent un peu au flanc de la colline. Ils avaient parcouru une bonne demi-lieue. Là, masquée par un bouquet de sureaux, se trouvait une excavation basse et maçonnée, le débouché d'un souterrain éboulé. Cette excavation avait servi longtemps de champignonnière : puis la champignonnière elle-même avait été abandonnée. Un hangar qui se trouvait auprès s'était écroulé. La terre était spongieuse; l'eau y fusait sous les pieds, et il régnait dans cet endroit une grande pestilence de fumier.

Marguerite Philippon se mit à écarter les planches

pourries et les perches à haricots qui encombraient l'entrée de la champignonnière.

— Est-ce là que tu veux me cacher? Dans ce trou puant? s'écria M. de Longeville. Jamais!

— Monsieur le marquis, répondit Marguerite, si vous n'entrez point, je me livre avec vous et nous mourrons ensemble.

C'était bien de la décision pour une fille si jeune, et M. de Longeville en fut tout stupéfait.

— Allez, ne faites pas le fou, sauf votre respect, reprit-elle. Ici, vous n'aurez rien à craindre. Les paysans ne viennent pas reprendre leurs gaules à ramer les haricots avant le printemps.

— Le printemps? dit avec effroi M. de Longeville qui se voyait mal passer l'hiver dans cette cave.

— Entrez là, Monsieur le marquis. Je viendrai vous apporter à manger demain.

On s'accommode de tout par nécessité, et, dans l'excès du pire, l'homme découvre encore d'humbles raisons de satisfaction. C'est ce dont M. de Longeville fit l'expérience. Le fumier pourri et repourri qui garnissait les profondeurs de la champignonnière dégageait une tiédeur qui n'était pas sans avantage pour les fraîches nuits de septembre. Les narines de M. de Longeville se firent à l'odeur. Avec les débris du hangar écroulé, il se construisit une manière de grabat qu'il recouvrit de fougères, une façon de table et un semblant de siège.

Des champignons ayant continué de pousser sans culture, M. de Longeville les consomma crus et y trouva de l'agrément. De même il s'accoutuma à la soupe froide que Marguerite lui apportait, à la tombée du jour, dans un pot de terre muni d'une anse, et il se réjouissait quand il y trouvait de la viande.

Un soir, il demanda à l'enfant comment elle se procurait cette nourriture.

— Lorsque je pars le matin mener les vaches au pré, expliqua-t-elle, ma mère me donne cette soupe pour le midi. Alors, je la garde, et je vous l'apporte. Je n'ose pas venir plus tôt; des fois qu'on me verrait.

— Et toi, quand manges-tu?

— Eh bien, le soir, quand je rentre à la maison.

Si grand seigneur qu'on soit, les privations de la faim sont toujours émouvantes et M. de Longeville fut bien remué en entendant cela. Ainsi, cette enfant jeûnait tous les jours devant sa terrine pleine, afin qu'il pût subsister.

— Si Dieu et monseigneur d'Artois le veulent, je te récompenserai grandement plus tard, dit-il.

— Si c'était pour une récompense, Monsieur le marquis, je ne le ferais point, répondit-elle en rougissant.

Et ce soir-là elle partit plus vite que de coutume.

M. de Longeville lui demandait souvent des nouvelles du château. Celui-ci n'avait guère souffert. Le père Philippon qui, en ces mois-là, était fort occupé de modeler son style sur celui de Danton, avait adressé du haut du perron une belle harangue aux hommes du Comité.

— Citoyens, avait-il déclaré, ce bien est d'ores en avant le bien de la République, et y venir voler serait voler le peuple. Qu'on veille!

Moyennant quoi, il avait mis dans sa poche les clefs du château, en attendant les ordres des instances supérieures. Si bien qu'à part quelques tabatières raflées sur les consoles, et le vin de cave bu à la défaite des tyrans, rien n'avait été touché.

Quant à la disparition du marquis, le village fut convaincu qu'elle avait été aidée par quelque trahison. On expulsa du Comité un individu auquel on trouva soudain une tête de Girondin, et l'on expédia sur Alençon un curé qui avait été pris à dire la messe dans une grange. Et puis, l'affaire fut close sur un rapport ronflant de Philippon qui flétrissait la conspiration des ci-devant, et affirmait que M. de Longeville avait rejoint l'armée des Princes.

Celui-ci continuait de pourrir dans sa caverne. Il ne portait plus sa perruque depuis que les champignons avaient commencé de s'y mettre. D'ailleurs, elle n'eût plus tenu sur sa tête, car il avait maintenant les cheveux beaucoup trop longs.

Grâce aux clefs mises de côté par Philippon, et qu'elle déroba, Marguerite put s'introduire une fois dans le château afin d'y prendre ce que M. de Longeville lui demandait : de l'or pour s'enfuir, et des ciseaux à ongles. Elle ne parvint pas à trouver les mécanismes du secrétaire où était caché l'or — du moins elle prétendit ne pas les avoir trouvés — et ne lui rapporta que les ciseaux. Elle demeura longuement à le contempler tandis qu'il se taillait les ongles et s'égalisait la barbe, et trouva qu'il avait pour faire tout cela des gestes merveilleux. Elle soupirait sans qu'il sût pourquoi.

M. de Longeville l'avait priée aussi de lui chercher des vêtements, car sa culotte de soie s'était rompue dans leur course du premier soir, et sa robe de chambre, peu faite pour un lit de fougères, commençait à ne guère valoir mieux. Mais Marguerite, plutôt que de choisir ce qu'il lui fallait dans la garde-robe du château, pensa mieux déguiser M. de Longeville en lui donnant un pantalon de drap et une camisole de futaine dont Philippon ne se servait plus.

Elle fournit aussi le marquis en chandelle, et, pour le distraire, l'approvisionna de livres et libelles qu'elle prélevait et replaçait dans l'armoire de son père.

M. de Longeville put ainsi lire des ouvrages tels que l'*Intérieur d'un ménage républicain, La Liberté des nègres* et *La grande entrevue dans la tour du Temple entre Charles Libre, patriote sans moustaches, et Louis Veto, l'esclave et sa famille.*

Et puis un beau jour, un dimanche, elle apporta dans la grotte une rapière.

— Je l'ai trouvée par hasard, en fouillant un coffre du grenier. Gardez-la, Monsieur le marquis; vous devez avoir une arme.

M. de Longeville parut enchanté. Il déchira un peu de la camisole de futaine empruntée à Philippon, et se mit à fourbir son arme.

Cependant, chez les Philippon, on s'était étonné un moment de l'appétit que Marguerite montrait au souper. Mais après tout, elle grandissait et la jeunesse a besoin d'être nourrie. On s'étonna davantage lorsqu'elle devint rêveuse. Son père lui demandait pourquoi elle oubliait de manger; mais elle oubliait également de répondre.

Et puis, une vache disparut qu'on ne retrouva qu'après une nuit de recherches à la lanterne, et Marguerite fut obligée d'avouer qu'elle avait délaissé son troupeau. Mais on ne put lui en tirer davantage. Alors, le père en conclut qu'elle avait un galant.

A quelques soirs de là, comme Marguerite venait d'apporter à M. de Longeville sa terrine de soupe froide, les planches pourries qui cachaient l'entrée de la champignonnière s'effondrèrent sous un coup de pied, et maître Philippon parut, flanqué de deux valets de ferme.

— Je m'en doutais bien, je m'en doutais bien, s'écriat-il, que tu venais retrouver un homme! Et lequel, encore! Un rôdeur, un romain-michel!

Soudain, il reconnut, sous sa barbe hirsute et ses cheveux trop longs, M. de Longeville qui tenait sa rapière à la main.

— Nom de Dieu! cria Philippon, oubliant qu'il s'était interdit de jurer depuis qu'il avait décidé d'être athée. Nom de Dieu! Alors, c'était vous, Monsieur...

Il allait dire : « Monsieur le marquis » et se rattrapa en achevant   : « Monsieur le ci-devant! »

Il était bien en peine, le père Philippon. Son rapport sur l'arrestation manquée n'avait pas eu le meilleur accueil en haut lieu. Et voici que maintenant... sa fille, le marquis... Si encore il n'y avait pas eu de témoins, s'il n'avait pas amené les deux valets! Mais en ces temps de conspiration, un homme dans sa position pouvait-il s'aventurer seul?

Ah! il était dans de mauvais draps, à cause de sa gamine, et même l'exemple de Danton n'avait rien à lui offrir pour le tirer de là.

— Et en plus, tu lui avais porté mes pantalons, juste que je les cherchais ce matin pour aller traire!

Puis, voyant une brochure qui traînait à terre :

— Je comprends, maintenant, pourquoi mon armoire sent le fumier! Allez, citoyens, qu'on l'empoigne! ajoutat-il en s'adressant aux deux valets.

— Je te remercie, Philippon, dit M. de Longeville, je peux encore marcher seul.

Le retour vers le village se fit en silence, chacun pensant à soi. La brume de novembre tapissait le fond du vallon, stagnait sous les pommiers. Philippon, qui allait en tête, n'émergeait qu'à mi-corps de ce coton. Brusquement, alors qu'il était à cent pas des maisons, il s'écria :

— Penser que c'est un ci-devant qui a défloré ma fille! Me faire ça, à moi! Ça ne respecte rien, ces gens-là; ça se croit encore au Moyen Age.

— Philippon, répliqua M. de Longeville, il est vrai que ta fille m'a caché et qu'elle m'a nourri, parce que c'est une enfant qui a bon cœur. Mais je t'assure...

Marguerite lui coupa la parole.

— Mon père, dit-elle, je l'aime et je n'aimerai jamais que lui.

Puis, à l'oreille de M. de Longeville, elle chuchota :

— Je dis ça pour vous sauver, vous comprenez bien.

— Que tu l'aimes ou que tu ne l'aimes pas, répondit le père, ça n'empêche pas que je l'envoie demain au tribunal.

— Si vous le faites mourir, je vous préviens, je mourrai aussi.

— Tu n'es donc pas républicaine?

— Je suis républicaine, mais je ne veux pas qu'il meure!

Elle ne pleurait pas; elle était tendue, le nez levé, les cheveux répandus sur le dos, prête à tenir tête à toute l'adversité du monde. On a vu qu'elle avait de la décision, et son père savait qu'elle était bien capable de faire comme elle avait dit. Il n'était que trop certain qu'elle aimait le marquis. Philippon n'avait pas d'autre fille et elle l'avait toujours mené comme elle voulait.

Il la vit se dénonçant au tribunal ou bien se jetant au fond d'un puits. Ce tribun de village adorait son enfant, et les enfants, lorsqu'ils agissent en adultes, sont généralement vainqueurs des grandes personnes.

« Je le cacherais bien moi-même, une nuit ou deux, et puis, qu'il déguerpisse, se disait Philippon. Mais le moyen, maintenant que tout le village va savoir? Et puis ça n'empêchera pas qu'elle est déshonorée... »

Les gens commençaient à sortir des maisons pour venir à leur rencontre. Alors, l'inspiration lui vint.

— Eh bien, si c'est ainsi, il faut qu'il t'épouse; il n'y a rien d'autre, dit Philippon. Citoyen, es-tu prêt à marier ma fille?

— Acceptez, chuchota Marguerite en poussant du coude M. de Longeville. Acceptez, et vous êtes sauvé.

M. de Longeville, qui voyait s'éloigner la lunette de la guillotine, posa la main sur la tête de Marguerite et répondit qu'il se tiendrait très heureux de l'avoir pour femme.

Philippon rassembla son Comité dans la salle de la mairie, à la lueur des chandelles. La mâchoire large, l'encolure puissante, le poing solide (on prend les modèles auxquels on ressemble), maître Philippon expliqua au conseil les raisons de sa décision. Le marquis n'avait pas participé à la conspiration et avait préféré vivre caché dans un terrier. En épousant Marguerite, il épousait du même coup la cause du peuple.

— Eh quoi, citoyens! lança Philippon; préférez-vous que son sang nous cause de nouveaux ennemis, ou bien le voir se rallier à nous? La République doit avoir les bras ouverts...

Son discours sentait un peu la Gironde. Mais personne dans le village n'en voulait vraiment à M. de Longeville. Et puis, maintenant, sans perruque, sans canne et sans gilet, la peau blanche comme une endive de cave sous une barbe de deux mois, il ressemblait moins à un ci-devant qu'à un bûcheron sans travail. Et non seulement pour Philippon, mais aussi pour les autres paysans, il s'ajoutait une petite gloriole à voir l'ancien châtelain épouser la fille d'un fermier. C'était cela aussi, les conquêtes de la Révolution.

Toutes les femmes du village attendaient dans l'entrée de la mairie. On ouvrit le registre des mariages et le citoyen Longeville prit la plume pour y signer.

Collée à lui, la petite Marguerite lui parla de nouveau à l'oreille :

— C'est un mariage pour rire, vous savez, Monsieur le marquis. On divorce à présent; mais de la sorte, vous être libre.

M. de Longeville, pour la première fois, embrassa la fillette sur les deux joues; et il le fit de si gentille façon que les commères en tirèrent leur mouchoir.

La nuit même, il fila sur Paris. Il y parvint en trois jours grâce à la complaisance de routiers qui le nourrirent en même temps qu'ils le transportèrent. Il put se cacher quelques jours chez un cousin, Anthénor de Longeville qui, aussi attaché à son hôtel du faubourg Saint-Honoré que le marquis l'avait été à son château, y vivait dans la loge du concierge.

M. de Longeville savait qu'il valait mieux ne pas

s'attarder, et les charrettes qui passaient chaque jour devant les fenêtres lui faisaient assez connaître à quoi il avait jusqu'alors échappé.

Il eut la chance de se procurer un faux passeport et gagna l'Angleterre. Là, il mena la vie misérable des émigrés. Il donna, pour vivre, des leçons de français; mais il y avait à ce moment-là, à Londres, plus de gens pour enseigner le français que de gens pour souhaiter l'apprendre. M. de Longeville se lia avec M. de Chateaubriand et, en sa compagnie, défaillit de faim devant les étaux de boucherie.

Ces choses-là, qui se racontent en quatre lignes, durèrent quatre ans.

M. de Longeville pensait souvent à son château qu'il imaginait bien ne jamais revoir, et racontait volontiers l'aventure de son évasion pour prouver aux étrangers que tous les paysans de France n'étaient pas les monstres assoiffés qu'on disait : ce pourquoi il se brouilla avec quelques-uns de ses compatriotes.

Quand les lois sur les émigrés furent rapportées, M. de Longeville fut des premiers à rentrer. A Paris, on était au beau milieu du Directoire. De nouveaux meubles et de nouvelles femmes étaient à la mode. Le sang de Thermidor avait séché sur les pavés de la place de la Révolution, et les souliers des « Merveilleuses » en avaient effacé la couleur.

Anthénor, sans avoir encore récupéré entièrement son hôtel du Faubourg, avait pu se réinstaller au premier étage où, dans l'espoir de se faire élire aux *Cinq Cents*, il recevait des femmes, comme Mme Tallien et Mme de Beauharnais, qui ne plurent pas à M. de Longeville.

Celui-ci se hâtait d'arranger ses affaires lorsqu'un

matin on lui délivra une lettre qui venait de son pays et qui lui disait ceci :

    Monsieur le marquis,
    Mon père est mort et notre ferme est à louer. Je dois vous la remettre, et ne sais comment. Quant aux liens que les événements vous obligèrent de contracter, on m'a dit, si peu de valeur qu'ils eussent, qu'il était cependant besoin qu'ils soient rompus si vous désirez en contracter d'autres, plus heureux pour vous. Je vous adresse cette lettre chez M. le comte Anthénor, votre cousin, espérant qu'elle vous joindra et que vous voudrez donner vos ordres à celle qui se permet de signer respectueusement,
                    Votre épouse d'un jour,
                    Marguerite Philippon.

M. de Longeville fut surpris du style autant que de l'élégance de l'écriture. Le lendemain, il se mit en route, prit la poste jusqu'à Alençon, et là loua une voiture. Bien des émotions l'assaillirent tandis qu'il approchait de Longeville, et ce fut seulement la crainte d'être moqué du cocher qui le fit se retenir de pleurer lorsqu'il aperçut les toits de son château. Comme il n'avait pas les clefs, il se rendit tout de suite à la ferme Philippon.

Marguerite pâlit en le voyant entrer.

— Vous voilà, Monsieur le marquis, vous voilà! s'écria-t-elle.

— Est-ce toi-même qui as écrit cette lettre? lui demanda M. de Longeville.

— Mais oui, Monsieur le marquis. Je me suis instruite pendant ces quatre ans. Je ne voulais pas vous faire trop de déshonneur.

Elle se tenait devant lui, droite dans une robe grise à col blanc. Ses cheveux dorés étaient coiffés en torsades et en boucles, à la mode du temps. Elle avait quelque chose de recueilli et de digne dans le regard et toute l'attitude.

M. de Longeville, s'il ne l'avait pas trouvée là, aurait hésité à la reconnaître tant elle était changée, grandie et embellie.

— Quel âge as-tu maintenant? demanda-t-il.

— Dix-neuf ans, Monsieur le marquis.

— Et tu ne t'es pas mariée?

— C'est que je l'étais déjà, répondit-elle avec un petit sourire.

Ils allèrent ensemble au château. Les douves avaient été nettoyées de leur cresson, les branches du parc élaguées, les salons, régulièrement aérés, ne sentaient pas trop le moisi.

— J'ai fait de mon mieux pour vous le garder en état, dit Marguerite. Il n'a pas été vendu par les biens nationaux, parce que mon père a dit qu'il était à moi.

Elle rougit.

— Et que comptes-tu faire désormais? dit M. de Longeville.

— J'irai chez votre tante, la chanoinesse. Elle est aveugle et me demande souvent pour lui faire la lecture. Puisque vous êtes revenu, je pense que je vais y rester tout à fait.

M. de Longeville s'était arrêté devant la même fenêtre à travers laquelle, quatre ans plus tôt, il avait vu arriver les révolutionnaires, tandis qu'une petite fille le tirait par la main. Il réfléchit un moment.

L'anniversaire de ses quarante ans allait bientôt

sonner. M. de Longeville ne portait plus de perruque, il avait les tempes qui tournaient au gris, et il avait connu beaucoup de choses en ces quatre années : la peur, la faim, les zizanies des émigrés, le jeu des coteries, pour retrouver ce qu'il venait de voir à Paris, cet effrénement de plaisir et cette quête d'oubli qui le choquaient.

Marguerite avait dix-neuf ans...

— Je suis forcé de repartir, dit-il, mais avant tout, nous allons régler nos affaires. Nous le ferons demain. Il faudra rassembler tes parents.

— Je n'en ai plus.

— Alors tes amis, ceux qui étaient là il y a quatre ans.

— C'est tout le village, Monsieur le marquis...

Elle passa une affreuse nuit, la dernière du rêve qu'elle avait vécu seule. Mais le lendemain, quand M. de Longeville arriva, elle avait les yeux secs et elle était prête, comme il était dans sa nature, à faire front aux événements.

Elle n'avait pas eu besoin de convoquer le village; il s'était convoqué de lui-même, sur un mot qu'elle avait dit à des voisines.

Elle pensait qu'il ne pouvait rien se produire que ce qu'elle avait prévu. Elle allait monter à la mairie pour défaire ce qui s'était fait, une nuit d'enfance.

Sans rien voir du grand soleil, ni d'un air de bonheur qui tremblait sur toute la campagne, elle s'avança au-devant de M. de Longeville.

Il lui prit la main et elle cessa de penser. Ils marchèrent ainsi pendant quelques instants, en silence, côte à côte.

Puis, M. de Longeville lui dit :

— J'ai médité toute la nuit, afin de ne pas prendre

ma décision légèrement. Je crois que vous ferez une très bonne marquise de Longeville, Marguerite. Vous l'êtes déjà selon votre loi. Je désire que vous le soyez selon la mienne. Le prêtre est prévenu et nous attend.

Et Marguerite sut que c'était vrai parce que, pour la première fois, il la vouvoyait.

Elle ne se rappela jamais si les cloches de l'église, ce matin-là, sonnèrent ou non.

Elle fut, comme M. de Longeville l'avait prévu, une excellente châtelaine. Il lui fallut seulement un peu de temps pour se déshabituer d'appeler son mari « Monsieur le marquis ».

Elle lui donna une fille, aux mollets ronds, au poil rousseau et aux paupières en pétales de rose, qui fit un haut mariage et, après eux, vendit le château.

1955

UN SI GRAND AMOUR

A André Bernheim.

L ES gloires du théâtre ont ceci de décevant qu'elles s'éteignent avec les lumières qui les ont éclairées. La légende est peu accueillante à l'acteur, même s'il fut illustre, et son nom disparaît des mémoires aussitôt que le vent a décollé la dernière affiche qui le portait.

Ainsi Élise Lambert, la divine Lambert comme on la nommait, incomparable dans le geste, inégalée, disait-on, dans la musique des vers... Qui se souvient encore d'elle, qui cite encore son nom? Et pourtant, pendant vingt ans, elle tint des salles entières suspendues à ses rires, à ses larmes, à ses silences. Les princes étaient ses amis, les reines ses rivales. Elle suscita bien plus de passions qu'elle n'en voulut satisfaire; elle appartenait à une époque où le scandale n'était pas encore l'accessoire nécessaire de la célébrité, et elle jouait assez le drame sur la scène pour ne pas le souhaiter dans sa vie.

Pourtant, dans l'hiver qui suivit l'Exposition universelle, lorsque l'on commença de voir, presque chaque soir, Henry Nauday dans la loge d'Élise Lambert, personne n'imagina, sinon elle, sinon lui, qu'il pourrait rien en arriver d'heureux. Elle avait quarante-quatre ans;

il en avait vingt-six. Il était au début de son succès ;
elle était presque à la fin de sa beauté. Elle ne pouvait
pas être son interprète, puisqu'il n'écrivait déjà que
des vaudevilles et des farces ; elle paraissait donc ne
pouvoir devenir que sa victime.

Les auteurs comiques sont presque toujours des
hommes tristes dont l'humour n'est qu'une façon
détachée d'exprimer leur amertume de vivre. Nauday
était de cette sorte de pessimistes. Ce haut jeune homme
silencieux, aux longues moustaches blondes, aux cravates soigneusement nouées en plastron, aux manières
parfaitement polies, et qui ne riait jamais, avait un
sens impitoyable des ridicules d'autrui et une science
innée du mécanisme de l'hilarité. Lorsqu'il dirigeait,
chronomètre en main, les répétitions, il interrompait
parfois les comédiens, en laissant tomber, d'une voix
désolée :

— Ici, vous vous arrêterez pendant quinze secondes,
pour les rires... Continuez, maintenant.

Ses deux premières pièces avaient tenu une saison
entière. Il était « à la mode », environné de flatteries,
assailli d'invitations où il faisait bonne récolte de la
sottise de ses semblables.

Toutes les femmes qui n'avaient rien à faire semblaient prêtes à le consoler d'un destin si heureux, à lui
dévouer leur oisiveté, et à lui prouver qu'un grand amour
était la seule chose qui lui manquait pour goûter la
beauté de l'univers. Il vivait ces rares années, en de
rares existences, où l'apparence physique s'accorde
avec la renommée ; ainsi tout lui était permis.

Tout était permis également à Elise Lambert, mais
pour très peu de temps. Nul ne lui aurait donné son

âge, mais elle l'avait. Elle gardait au mépris des années
un rayonnement de jeunesse que maintiennent seuls
la chance et le succès. Les généraux vainqueurs ont une
étonnante souplesse de jambes et montent, septuagé-
naires, les escaliers quatre à quatre. Les hommes d'État,
jusqu'en leur dernier âge, peuvent passer des nuits
sans sommeil, à condition d'être ministres. De même les
comédiennes.

Les applaudissements quotidiens, les fleurs, les
égards, les hommages avaient conservé à Elise Lambert
des grâces qui paraissaient ne devoir jamais finir. Elle
était belle; elle s'habillait avec une recherche étudiée,
non point tant par un goût naturel de l'ostentation, que
parce qu'elle savait qu'une actrice doit se faire remarquer en ses toilettes. Lorsqu'elle passait dans la rue, les
petits commis pâtissiers, leur panier sur la tête, s'arrê-
taient, les yeux ronds, et sifflaient d'admiration; à cela,
plus qu'à tout autre éloge, elle mesurait qu'elle était
toujours « la divine Lambert ».

Pour combien d'années encore? Pour combien de
rôles? Pour combien de nuits heureuses?

Chaque jour, cet hiver-là, avant d'entrer en scène,
elle se demandait : « Est-ce qu'il viendra ce soir? »
Chaque soir, après les acclamations du dernier rideau,
elle rentrait dans sa loge et s'adossait un instant au mur,
les bras abandonnés, les yeux clos, écoutant diminuer
les battements de son cœur en même temps que s'atté-
nuaient les bruits du théâtre. Les spectateurs franchis-
saient le porche, les pas des machinistes désertaient le
plateau, les ouvreuses quittaient le vestiaire. Le grand
vaisseau de velours, de stuc et d'or était rendu au silence
et à l'ombre... et cette vie seconde dont Elise Lambert

avait vécu pendant trois heures se retirait d'elle par
vagues, ainsi que la mer se retire ¦des rivages.
Elle rouvrait les yeux : Henri Nauday était là, son
long corps assis de travers parmi les fourrures, les
bouquets de roses et de tubéreuses, les flacons véni-
tiens et les faux diadèmes qui encombraient la loge,
jouant avec son monocle et balançant lentement son
escarpin au bout de sa cheville maigre.

Tandis qu'elle se démaquillait, assise à sa coiffeuse
— elle avait de belles épaules et ne redoutait pas de
les montrer —, elle observait dans la glace le visage du
jeune auteur dramatique et se demandait s'il lui était
permis d'accepter ce que la vie lui apportait là.

« Il est né l'année même où, moi, je débutais, se répétait-
elle. C'est un trop beau cadeau, je n'y ai plus droit. »

Un fiacre attendait à la sortie des artistes. Nauday
raccompagnait l'actrice jusqu'à sa porte, et là, pendant
quelques instants s'installait entre eux un silence gêné
qui eût bien surpris les gens qui, dans Paris, chucho-
taient de leur aventure. Il attendait une invite ; elle
attendait un aveu ; et leurs lèvres, à l'un et à l'autre, se
refusaient à rien prononcer, car ils avaient également
peur, elle des ravages de la passion, et lui du ridicule du
cœur. Ils hésitaient au bord de leurs désirs, comme on
hésite à plonger dans la vague trop haute qui vous
attire, ou comme on hésite dans un bal à offrir le même
spectacle absurde qu'offrent les couples qui dansent.
Si bien que chaque nuit, en descendant du fiacre,
Henri Nauday retenait quelques secondes les doigts
d'Élise Lambert dans les siens, tandis qu'elle ne parvenait pas à prononcer autre chose qu'un « merci » murmuré.

C'est alors qu'intervint M. de Tanthoüet, qui joua
le rôle « des autres ». Ce sont « les autres » qui, souvent,
marient des gens qui ne savaient pas encore qu'ils
voulaient se fiancer, ou annoncent les ruptures alors
que les intéressés ne se sont pas encore aperçus de leur
détachement. En amour, il faut toujours se méfier « des
autres », car ils ne se contentent pas de nous interpréter :
ils nous déterminent, et finissent par nous faire accomplir, malgré nous, les actes qu'ils nous ont inventés.

M. de Tanthoüet avait cinquante ans, les yeux gris,
les cheveux gris partagés par une raie juste au milieu
de la tête; il portait des redingotes grises et s'occupait
de constructions navales.

Depuis de longues années, Élise Lambert était le
luxe de sa vie, un vrai luxe puisqu'en tous points inutile. Cet homme, autoritaire de nature et fort assuré
dans ses affaires, vouait à l'actrice un sentiment qui ne
s'expliquait que par l'attirance qu'éprouvent certains
êtres pour ce qui est contraire à leur caractère ou étranger à leur entendement. Il était l'ancien soupirant qui a
fini par oublier lui-même ses soupirs et qui s'est installé,
faute de mieux, dans le rôle sans éclat du conseiller
fidèle, du confident toujours prêt, de l'admirateur géné-
reux. Il avait par là l'impression d'être admis dans
l'univers, pour lui féerique, des arts et de la scène.

Il vint un matin trouver le jeune auteur dramatique
dans le petit hôtel particulier que celui-ci avait loué rue
Raynouard.

— Mon cher Nauday, lui dit-il, nous nous connaissons
peu, mais vous savez l'amitié qui me lie de longue
date à Élise. C'est cette amitié, justement, qui guide
ma démarche. L'intérêt que vous portez à notre amie

ne fait de mystère pour personne, et l'intérêt qu'elle vous rend, hélas, n'en fait pas davantage. Vous êtes séduit... qui] ne le serait pas... par sa grâce, et votre jeune carrière est attirée par cette auréole de succès qui brille autour de sa tête. Le talent appelle le talent; elle est touchée... comment ne le serait-elle pas?... par cette jeunesse qui s'offre à elle. Vous allez commettre une très mauvaise action. Vous allez être sa dernière passion, et ce qui, de votre part, ne sera qu'un plaisir, sera pour elle un drame. On n'échappe pas à la loi commune de l'âge : vous êtes à celui des conquêtes, Élise va entrer dans le temps des abandons. Au bout de quelques mois, quelques semaines peut-être, vous la quitterez, et je ne suis pas sûr, la connaissant comme je la connais, qu'elle supporte cet échec avec résignation. Si vous voulez vous bien conduire, abandonnez ce jeu où les mises ne sont point égales.

Henri Nauday, en robe de chambre de velours grenat, soufflait devant lui, sans rien dire, la fumée de son cigare.

Pouvait-il répondre : « Monsieur, j'avais seize ans quand pour la première fois j'ai vu jouer Élise Lambert. Je suis sorti du théâtre dans un état d'enthousiasme, d'émerveillement que je ne retrouverai jamais plus. Je crois bien que c'est à elle que je dois d'avoir eu le désir d'écrire pour la scène, et de devenir célèbre. Je m'étais juré alors de la conquérir un jour... et c'est moi-même que je contemple, mes dix ans parcourus, lorsque je suis dans sa loge et que je la raccompagne le soir. »

— Je lis dans vos yeux, mon cher Nauday, reprit l'armateur, que vous doutez de mon désintéressement. Mais quoi que vous puissiez en penser, je n'ai jamais eu avec notre chère Élise que les relations d'amitié la plus

pure, et je n'en aurai jamais d'autres... car je pars dans
deux jours pour l'Amérique, où j'ai transporté toutes
mes affaires et d'où je ne pense pas revenir avant très
longtemps, si même je reviens. Sans l'imminence de ce
départ, je ne me serais pas permis de venir vous parler
ainsi. Je suis sûr que vous êtes homme de cœur et que
vous m'avez compris. Croyez-moi : ne poursuivez pas ;
ce serait mal agir.

Henri Nauday raccompagna son visiteur en lui
souhaitant bon voyage. La porte fermée, il haussa les
épaules. « Je connaissais les *pères nobles* du répertoire,
pensa-t-il, je ne connaissais pas encore les *amis nobles*... »

Cette démarche eut un résultat contraire à ce qu'en
attendait M. de Tanthoüet et précipita justement ce
qu'elle avait voulu éviter. Nauday, songeant à l'âge
d'Élise, se dit qu'il lui fallait se hâter s'il voulait exaucer
son rêve d'adolescent ; il se convainquit ainsi de l'exi-
gence de ses désirs et, dès le soir même, sut les faire
partager. Élise Lambert n'attendait que cela.

Les choses se passèrent comme elles devaient se
passer, c'est-à-dire que la comédienne aima le jeune
homme d'abord avec prudence, puis avec ce qu'il entre
d'angoisse dans la passion. Lorsqu'elle commença de se
rassurer et de croire que son bonheur pourrait durer
toujours, ce fut justement alors que Nauday la quitta.

Elle perdit d'un coup ses grâces miraculeusement
prolongées. Un été de larmes ôta de son visage cette
fraîcheur que les fards, les veilles et la lumière des rampes
n'avaient pu attaquer. Les petits pâtissiers, dans la
rue, ne se retournaient plus sur elle. Elle eut un insuccès
dans la pièce qu'elle créa l'automne suivant. La lampe
était éteinte. Peu après, elle abandonna le théâtre.

Elle avait juré, dans le premier moment de la rupture, de ne jamais revoir Henri Nauday. Elle le lui avait fait dire, elle le lui avait écrit. Trop satisfait de cet interdit qui libérait sa conscience, Nauday s'arrangea pour qu'elle tînt son serment.

Il est toujours surprenant de constater, lorsque deux êtres sont sur le point de s'aimer, combien le destin, à tout propos et sans raison, s'amuse à croiser, recroiser, emmêler leurs routes; et puis, lorsqu'ils se sont séparés, on dirait que cette volonté mystérieuse qui les faisait avant se buter sans cesse l'un à l'autre, les éloigne, aussi mystérieusement. Jamais, en vingt ans, le fiacre qu'on hèle en même temps; jamais un encombrement de la rue, jamais un vernissage, jamais une réception ni même un enterrement ne remirent en présence Élise et Nauday. Soudain, au bout de ces vingt ans, le hasard d'un banquet, en l'honneur de quelque vieux maître du théâtre, les plaça côte à côte. Henri Nauday avait exactement suivi la carrière que ses débuts annonçaient. Il avait cessé d'être beau; le travail, les succès et les dîners en ville l'avaient alourdi. Sa moustache était plus courte, son front dégarni, ses cravates moins voyantes. Il parlait davantage qu'autrefois, sachant qu'on attendait de lui qu'il lançât quelques boutades, quelques rosseries, entre les plats.

Élise Lambert était devenue une vieille dame aux cheveux tout blancs, dont on reconnaissait au premier regard qu'elle avait été très jolie, et qui avait gardé infiniment de douceur dans le regard et le sourire. Elle sut mettre Nauday à l'aise en abordant tout de suite le sujet dont il faudrait de toute façon parler.

— Vous m'avez fait bien souffrir, Henri, lui dit-elle, et je crois vous avoir longtemps détesté. Mais maintenant tout cela qui était ma faute plus que la vôtre est effacé, et je ne me souviens que des bons instants que vous m'avez donnés. J'ai suivi avec passion tout ce que vous faisiez; je me suis réjouie de tout ce qu'il vous arrivait de bon... Vous avez vraiment un immense talent.

Des louanges, pas de reproches, et pas même de pardon... La voix d'Élise Lambert était pour Nauday comme une musique ancienne longtemps oubliée et qui vous restitue d'un seul coup un moment du passé. Nauday était assez près lui-même du déclin pour s'émouvoir des rappels soudains de sa jeunesse. « J'ai atteint l'âge qu'elle avait quand nous nous sommes aimés », songeait-il. Et en écoutant cette femme qu'il avait si durement blessée, c'était sur lui qu'il s'attendrissait.

— Cela me ferait plaisir de vous revoir... de temps en temps, dit-elle encore avec un sourire. Maintenant vous n'avez plus rien à craindre. Et vous devez avoir tant de choses à me raconter.

— Mais moi aussi j'aimerais beaucoup, répondit-il.

— Pourquoi ne venez-vous pas prendre le thé avec moi, un jour de la semaine prochaine?

— Avec joie. Vous habitez toujours au même endroit?

— Je n'ai pas bougé. Voulez-vous jeudi?

— Jeudi, entendu.

Le jeudi suivant il tombait une pluie épaisse qui noyait la ville, débordait des gouttières, effaçait les chaussées. Henri Nauday arriva trempé comme une lessive.

— Mon pauvre ami, s'écria Élise Lambert, vous

êtes venu, malgré ce temps abominable. Et vous n'avez
pas trouvé de fiacre! Comme c'est gentil à vous, vraiment
trop gentil... Mais votre veston est transpercé. Vous ne
pouvez pas rester ainsi, vous allez prendre mal.

Elle frappa dans ses mains.

— Mariette, Mariette, cria-t-elle pour appeler sa
femme de chambre. Prenez le veston de M. Nauday et
faites-le sécher. Et puis apportez-lui ma grosse robe de
chambre, la bleue; je pense qu'il pourra entrer dedans.
Et vos chaussures, mon pauvre ami. Mariette, tâchez de
trouver des pantoufles, quelque chose...

Elle s'affairait, maternelle, autour de lui. Elle avait
failli se suicider pour lui; elle s'inquiétait d'un rhume
qu'il eût pu attraper. Elle était si heureuse qu'il fût
venu.

Nauday, couvert de lainages, se retrouva assis au
coin de la cheminée, de cette même cheminée devant
laquelle, durant un hiver éloigné de vingt ans, il avait
joué avec son monocle et balancé son escarpin.

Ils commençaient à peine à parler du passé lorsqu'on
sonna à la porte. Mariette était occupée à sécher au fer
le veston mouillé. La vieille dame alla ouvrir elle-même.

Nauday ne reconnut pas la voix du visiteur; il
entendit simplement Élise Lambert dire :

— Oh! quelle surprise! Entrez, Pierre; vous allez
voir qui est là. Quand êtes-vous arrivé?

Et M. de Tanthoüet entra. Il était revenu la veille
au soir d'Amérique, pour finir ses jours dans son pays
natal et sa première visite était pour la « chère Élise ».
Il fit deux pas dans le salon, aperçut Nauday en robe
de chambre, installé auprès du feu, dans l'apparence de
l'intimité la plus douillette, la plus conjugale, et il en eut

un coup. Nauday n'eut même pas le temps de lui tendre la main.

M. de Tanthoüet s'écria :

— Vous?... Ah, Monsieur, vous êtes là! Quand je pense à ce que j'ai failli faire!... Dieu merci, vous ne m'avez pas écouté! Je vous dois mes excuses, bien humblement. Jamais je ne pourrai me pardonner... Jamais je n'oserai me représenter à vous.

Il passa devant la vieille dame stupéfaite, et s'enfuit, se tenant le front dans les mains, gémissant :

— Un si grand amour! Dire que j'ai failli briser un si grand amour!

1955

LA CONTRE-CHANCE

A Georges-Grégoire Kessel.

ENORME, monstrueux, débordant de toutes parts
d'une fausse bergère Louis XVI, le ventre entre
les cuisses, l'oreille pendante et un diamant de douze
carats enfoncé dans le petit doigt, M. Mawar était là,
à onze heures du matin, au saut du lit, en pyjama de
soie verte...

On achète quelquefois, quand on n'en trouve pas
d'autres, une boîte de cigarettes Mawar, de ces petites
cigarettes d'Orient, plates, qui sentent un peu le foin,
et dont on dit : « Au fond, ce n'est pas tellement mauvais. » On regarde distraitement la reproduction des
médailles d'or obtenues aux expositions internationales
de la fin de l'autre siècle « ... usines à Alexandrie,
Bruxelles, Zurich... exiger la signature Mawar frères sur
chaque emballage... la loi punit sévèrement les contre-
facteurs... »; et l'on n'imagine pas qu'il existe réellement
un M. Mawar, héritier des deux personnages coiffés
de fez dont s'orne l'intérieur du couvercle, un M. Mawar
en chair et en graisse, richissime, qui perçoit chaque
jour une petite redevance sur cinq cent mille fumeurs
à travers le monde, et peut, à cause de cela, passer ses
mois de printemps à Monte-Carlo, dans un somptueux

appartement de l'Hôtel de Paris, en laissant chaque soir quelques millions sur les tapis de jeu.

D'immenses gerbes de lis répandaient leur parfum suffocant et sucré; le soleil chauffait les vitres du salon d'angle, d'où l'on découvrait à la fois les jardins, le casino et la mer.

Sur la table était posée une boîte oblongue, en acajou, dont le milliardaire, de sa main molle et blanche, comme moulée en saindoux, sortait des cartes, les mettait par deux, les retournait, semblait les comparer, les repoussait, en faisait glisser de nouvelles. Et chaque fois, il soupirait profondément. Car il gagnait.

« Une main qui tient onze fois! Et jamais, jamais ça ne m'arrive le soir. C'est vraiment exaspérant. »

Ce soir, il arriverait au casino vers onze heures, la fleur au revers et salué très bas par les employés. Il trouverait sa place réservée à la grande table; un valet de pied lui pousserait un fauteuil sous les reins; un autre déposerait un whisky à portée de sa main gauche, et le changeur placerait un paquet de plaques auprès de sa main droite. Il entendrait des chuchotements : « Mawar, c'est Mawar... Mawar est là.... » On s'approcherait pour le voir jouer; il lirait sur les visages toutes les variations de la convoitise; et comme hier, comme avant-hier, comme tous les jours, il tirerait à cinq quand il aurait dû ne pas tirer, ou bien retournerait deux « bûches » quand son adversaire aurait abattu neuf.

En plus, cette année, Mawar avait pour maîtresse de louage une aimable personne aux cheveux dorés, d'une bonne volonté passive, mais que les bancos ne passionnaient aucunement. Elle aimait les perles, les broches, les fourrures; elle bâillait à la table de jeu.

Elle ne comprenait rien aux cartes ni à la roulette;
elle était désespérante.

L'obèse repoussa le sabot de baccara, son jeu magnifique et ses partenaires imaginaires.

— A quel sujet? demanda-t-il. Il avait mal saisi
les explications du portier, par le téléphone, et avait
répondu machinalement : « Faites monter. »

Il n'eut pas besoin de lever les yeux bien haut pour
comprendre de quoi il s'agissait. Les chaussures, l'étoffe
et l'état du pantalon, la position même des genoux,
lui en apprirent assez sur l'homme qui venait d'entrer,

Mawar prit d'un geste lassé la lettre qu'on lui tendait,
la parcourut avec une indifférence excédée, la laissa
choir sur le tapis, tourna la tête vers la fenêtre, et sa
joue gauche fit trois plis sur le col de son pyjama.

La lenteur de ses mouvements était éprouvante,
épuisante, pour le solliciteur.

L'homme qui attendait avait une cinquantaine
d'années; il était de nature chétive, et montrait dans
son maintien cette humilité correcte que donne une
longue pratique de l'adversité. Il portait à son veston
un brassard de deuil.

Il avait dépensé cent francs pour se faire raser sous
la peau et enduire de cosmétique la longue et unique
mèche dont il couvrait sa calvitie. Il éprouvait sur les
joues la cuisson de la lame; il aurait des boutons pendant
quarante-huit heures. Et M. Mawar n'avait même pas
regardé son visage!

Le petit homme se sentait flotter dans ses vêtements;
il avait l'épine dorsale moite, et l'anxiété lui rejetait
à la gorge son café-crème du matin.

Sans cesser de contempler les palmiers et le fronton

du casino, Mawar, d'une voix de tête, aiguë et frêle,
et qui surprenait, sortant de ce monument de graisse,
dit :

— Je ne comprends pas pourquoi M. Oudry vous
adresse à moi. Je n'aime pas les recommandations.
Pourquoi M. Oudry ne vous donne-t-il pas une place?
Je n'ai aucun emploi pour vous, aucun! Je ne suis pas
un bureau de bienfaisance. Si j'écoutais tout le monde,
j'aurais deux cents personnes à ma porte! Je ne peux
rien pour vous, rien du tout.

La pièce, ses fenêtres, ses lis, ses tapis, vacillèrent
devant le petit homme; il secoua tristement la tête,
ce qui dérangea sa mèche cosmétiquée et découvrit,
sur le côté de son crâne, une large envie couleur lie-de-
vin. Singulière, cette envie; elle avait le dessin d'un œuf,
ou mieux d'un zéro mal fermé. On eût dit une marque
de destinée, un coup de tampon-encre donné par le
sort, à la naissance.

— Oui, je comprends, dit le petit homme. J'ai tort
de m'obstiner; je n'ai jamais eu de chance.

— C'est cela, mon ami. Il ne faut pas vous obstiner.

Le petit homme salua vaguement et se dirigea vers
le couloir.

L'obèse, à nouveau, allongea la main vers le sabot
de baccara; mais son geste demeura en suspens; et
soudain, comme l'autre allait refermer la porte, Mawar
s'écria :

— Hep! Revenez donc! Comment vous appelez-vous?

Et cette fois il consentit à lever sur le petit homme
ses gros yeux de mouche, sombres et luisants.

— Je m'appelle M. Florentin.

— C'est votre nom ou votre prénom?

— Mon nom. Ma famille, du côté de mon père, était d'origine italienne : Fiorentini...

— Oui, ça n'a pas d'importance. Vous dites que vous n'avez jamais eu de chance?

Mawar observait le visage gris et marqué de rougeurs, le cou flottant dans un col semi-dur mal amidonné, la tache lie-de-vin.

« Honnête, se dit-il. Sûrement honnête. Pas intelligent, bien sûr; ça ne pourrait pas aller ensemble. »

Il ne se trompait jamais sur les hommes, quand il se donnait la peine de les regarder attentivement pendant une minute.

— Eh bien, monsieur Florentin, voulez-vous gagner vingt mille francs par jour?

— Oh! Monsieur! s'écria l'autre; comment est-ce possible?

— Je ne plaisante pas. Seulement, ce sera la nuit que j'aurai besoin de vous, uniquement la nuit.

M. Florentin se demanda s'il ne s'agissait pas, pour un prix pareil, de quelque immonde et clandestine besogne. On racontait tant de choses sur les dépravations de ces gens richissimes! Vingt mille francs par jour, six cent mille francs par mois, alors que pour le dixième il eût déjà couru mettre un cierge à sainte Rita, protectrice des cas désespérés. Quelle servitude atroce exigeait-on en retour d'un tel salaire? Ou bien il avait mal entendu.

— Par jour... répéta-t-il.

— Oui. Et ce n'est pas difficile. Voilà ce que j'attendrai de vous. Vous viendrez chaque soir, à dix heures, à l'endroit où je dîne, ici, ou dans le restaurant que je vous indiquerai. Je vous remettrai deux cent mille francs.

Vous irez au casino... Vous n'y êtes jamais allé,
vous n'avez jamais joué? demanda Mawar en voyant
l'expression de surprise de Florentin... C'est bien ce que
je pensais; c'est parfait. Vous irez donc au casino et
vous perdrez les deux cent mille francs. Vous les *perdrez*,
vous m'entendez bien?... comme vous voudrez, n'importe
comment, le plus vite possible. Inutile de truquer;
n'imaginez pas que vous pourrez en faire passer une
partie dans votre poche. Vous pensez bien que j'ai
les moyens de vous contrôler. Quand vous aurez fini, vous
viendrez me retrouver; je vous remettrai vos
vingt mille francs, et vous serez libre jusqu'au lendemain. Voilà, vous êtes d'accord?

Florentin regardait Mawar, ses plates oreilles, ses
seins gras visibles dans l'échancrure du pyjama vert
jade, comme il eût contemplé une inquiétante divinité
orientale douée de pouvoirs magiques. Où était le secret?
M. Mawar était laid, mais n'avait nullement l'air d'un
dément.

S'inclinant très bas, M. Florentin dit :

— Bien, monsieur Mawar, je vous remercie beaucoup, monsieur Mawar. Alors, quand dois-je commencer?

— Ce soir, répondit l'obèse.

M. Florentin pénétra dans la salle des jeux et fut
saisi par la hauteur des plafonds, par l'opulence et la
tristesse de la décoration, par le recueillement mor-
tuaire qui régnait en ce lieu, mi-temple et mi-morgue,
par l'influx nerveux que dégageaient des centaines de
personnes, crispées autour des tables, et feignant de ne
pas l'être. On pouvait se demander si l'on pratiquait
ici la dissection de l'argent ou sa liturgie funèbre. Des

hommes en noir, impassibles, accomplissaient sur les
draps verts, avec une précision de chirurgiens, des
manipulations mystérieuses, taillaient, tranchaient, sépa-
raient des piles de jetons longues comme des intestins,
tandis que des voix hautes et indifférentes d'archidiacres lançaient des formules obscures qui se croisaient
dans l'air : « Le sept! Impair, rouge et manque...
Six cents louis à la banque!... Avec la table... »

Des balles tournoyaient dans des baquets d'ébène;
des cartes s'étalaient en longues rangées, comme pour
prédire à toute vitesse un avenir dont personne ne semblait content; des boîtes passaient, de main en main,
à des gens assis en rond autour de tables qu'ils n'arrivaient pas à faire tourner. Chacun ici pouvait choisir
son culte, sa messe noire, la sorcellerie de son choix.

Florentin erra un moment, dériva dans la cohue
silencieuse, tâcha vainement de comprendre et de s'ini-
tier. Il vit derrière un guichet un homme auquel les
joueurs donnaient des billets, pour en recevoir des jetons
qu'ils mettaient ensuite sur les tables. Il fit comme eux
et tendit sa liasse.

— En plaques de combien? demanda le changeur.

— Comme vous voudrez.

Il reçut un assortiment de bakélite dont il gonfla les
poches de son vieux veston, s'approcha d'une table,
vit qu'il se trouvait à côté d'une vieille dame bossue.

« Les bossus portent chance », pensa-t-il. D'un geste
hésitant, il posa un jeton marqué « 1000 » sur le tapis.
La bille, dans le baquet d'ébène, s'arrêta. Le râteau d'un
croupier rafla le jeton, parmi bien d'autres, et Florentin
eut un petit sursaut. Il se raisonna : « Puisque je dois
perdre... »

Il vit qu'on donnait à la dame bossue son jeton et quelques autres par-dessus. Il haussa les épaules, s'éloigna, se dirigea vers une autre table, lança une seconde plaque qui portait « 5000 », la vit disparaître de la même manière. Il continua alors un certain temps ; toujours sans rien comprendre, avec l'impression d'errer en pleine irréalité. Les images du soir et celles du matin se brouillaient. Les gens étaient bossus ; les gens avaient mauvaise mine. Les croupiers n'étaient pas vrais ; ils étaient de mauvaises inventions du sommeil. Florentin rêvait qu'il était entré dans un casino ; il rêvait qu'il jouait, il rêvait qu'un bouddha en pyjama de jade lui avait dit de perdre...

A mesure que les poches de son veston se dégonflaient il sentait croître en lui une angoisse absurde et tenace. Il n'était pas possible que le bouddha vert puisse le récompenser d'avoir perdu deux cent mille francs. « Et si c'étaient des billets faux qu'il m'ait fait écouler? On va peut-être m'arrêter à la sortie... Mais non, c'est bête, ce que je me dis ; dans ce cas-là il ne m'aurait pas demandé de perdre. »

Il tâta ses poches, elles étaient vides. Il était minuit. Florentin se retrouva devant le casino. Les réverbères éclairaient doucement les palmiers des jardins ; la voie lactée ressemblait, en travers du ciel, à un filet rempli de petits poissons brillants.

En se dirigeant vers le restaurant où Mawar lui avait donné rendez-vous, Florentin se sentait plus mal à l'aise encore que le matin. Il marcha pendant dix minutes devant la porte sans pouvoir se décider à entrer, attira l'attention soupçonneuse d'un chasseur, finit par rassembler ses énergies.

Dans un superbe smoking blanc rehaussé d'un œillet grenat, le ventre entre les cuisses, les oreilles étalées des deux côtés de la face, et le diamant scintillant au petit doigt, M. Mawar était là. Il avait fini de dîner; il buvait du champagne. A côté de lui, se trouvait une jeune femme au visage inexpressif sous un fond de teint pâle, mais chargée de perles aux lobes et au cou, et dont l'obèse caressait de temps en temps le bras mince.

M. Florentin traversa la salle d'un pas honteux, avala sa salive.

— Alors? demanda Mawar.

— Eh bien, ça y est, monsieur Mawar, j'ai perdu tout, répondit Florentin sans oser regarder devant lui.

— Vous y avez mis le temps! Enfin, c'est le premier jour; vous irez plus vite demain.

Mawar sortit vingt mille francs de sa poche :

— Alors à demain, la même chose. Bonsoir.

Le lendemain, il suffit de cinquante minutes à M. Florentin pour s'acquitter de sa tâche. Les jours suivants, il améliora sensiblement son rendement.

Il assimila du mécanisme des jeux juste ce qu'il lui fallait en connaître, et s'aperçut très vite qu'il n'était besoin ni de beaucoup de temps ni de beaucoup de mal pour obtenir le résultat cherché.

Quelques mises sur des numéros pleins à la roulette, deux coups de « trente et quarante », un ou deux bancos debout : en dix minutes, un quart d'heure au plus, c'était chose faite. Il répartissait ses munitions en plaques de cinq, dix et cinquante mille. Si parfois, sur une chance paire, sa mise venait à doubler, il laissait porter et la raclette du croupier, au coup suivant, nettoyait la place.

Ainsi, pour un banco sottement gagné, il suffisait de dire : « Suivi », et tout repartait avec les cartes suivantes. C'était aisé, c'était certain.

M. Florentin n'avait plus alors qu'à faire quelques pas dans la nuit claire et tiède. « Bonsoir monsieur Mawar... Bonsoir mon ami; voilà vos vingt mille francs. A demain... A demain monsieur Mawar... » Vraiment, un métier en or.

M. Florentin s'aperçut également qu'il n'était pas très difficile de dépenser vingt mille francs par jour pour vivre, surtout à Monte-Carlo. Il prit logement dans un hôtel confortable, mangea à sa faim, s'habilla de neuf, meubla ses loisirs diurnes. Toutes les devantures le tentaient, et tous les sourires. Il fit un peu de tourisme, dans un rayon de dix kilomètres, en taxi. Ses cheveux semblaient avoir repris de la vitalité; sa mèche noire couvrait mieux le zéro violet imprimé sur son front. Pouvant inviter, il se trouva quelques relations. Il songeait à se marier.

Jamais il ne lui serait venu à l'idée de subtiliser un seul billet de la liasse qu'il avait à perdre. D'ailleurs, les deux sommes qu'il recevait chaque soir ne lui semblaient pas constituées du même argent. La seconde, les vingt mille, était de l'argent habituel, d'un usage normal, l'argent qui sert aux échanges et à la rémunération du travail. L'autre était un argent d'une densité différente, sans correspondance avec le labeur ni les besoins; une sorte d'abstraction mythique : l'argent du jeu...

On connaissait bien, maintenant, au casino, ce petit homme, aux cheveux rares et collés, qui, avec un air de clerc d'huissier pressé d'expédier un constat, arrivait, n'adressait la parole à personne, changeait deux cent mille francs, les perdait, repartait en se frottant les mains. Il était devenu objet de curiosité, même dans un endroit qui compte pas mal d'originaux, de maniaques et d'obsédés. Tout le monde le haïssait secrètement. « Ah! voilà le petit bonhomme noir qui porte la guigne », se murmuraient les joueurs. Quant aux croupiers, ils avaient remarqué que Florentin, lorsqu'il avait, par extraordinaire, un coup heureux, n'avait jamais « pour le personnel », ce geste que les joueurs ont coutume de faire, non particulièrement par générosité, mais pour se concilier la chance. On avait noté aussi que depuis qu'il était apparu, M. Mawar avait cessé de venir au casino.

Il y avait vingt-trois jours que cela durait lorsque M. Florentin, comme à son habitude, lança une plaque de dix mille francs, en plein, sur le trente-quatre. Elle eût pu atterrir aussi bien sur le trente-deux ou sur le trente-six. Cela n'avait aucune importance. Déjà M. Florentin s'était détourné et s'éloignait; il n'entendit pas annoncer : « le trente-quatre ». Un croupier l'interpella :

— Monsieur, c'est à vous, vous avez gagné.

— Bon! Eh bien, laissez, dit Florentin machinalement.

— C'est impossible, Monsieur, le maximum est de dix mille, votre mise.

Et l'on versa trois cent cinquante mille francs dans les mains de Florentin.

— Rien ne va plus... le trente-quatre, annonça une seconde fois l'homme qui faisait fonctionner la roulette.

Il y eut un « oh! » de stupéfaction autour de la table, et Florentin reçut de nouveau trois cent cinquante mille francs.

Stupéfait lui-même, il chercha où perdre le plus rapidement ses gains, et alla au « trente-et-quarante » où le maximum était de cinq cent mille. Six fois de suite, il reçut une nouvelle plaque d'un demi-million.

— Fin de la taille, annonça le croupier.

« Elle ne vaut rien cette table; il faut que je me dépêche; M. Mawar m'attend », se dit Florentin. Il avait près de quatre millions dans les doigts. Or quatre millions, cela ne se perd déjà plus aussi facilement.

Alors, on assista ce soir-là à un spectacle extraordinaire. On vit un petit homme à la mèche déplacée et au front porteur d'un zéro couleur d'aubergine, qui courait d'une table à l'autre, qui jouait d'une manière démente, furieuse, à l'encontre de toute règle et de toute science, qui ne se laissait la possibilité d'aucune martingale, qui semblait miser comme on se suicide, et qui ne cessait de gagner. Il lançait une plaque en l'air; il en retombait une pluie. Ce qu'il parvenait à laisser sur un tapis, il le retrouvait quadruplé sur un autre. C'était comme un fleuve en crue, dans lequel débouchaient des petits affluents soudainement grossis, et dont le niveau montait sans arrêt.

On avait le sentiment d'une incroyable complicité des nombres. Tous les chiffres portés sur les tapis, les cuvettes, les cartes, les jetons, semblaient s'entendre entre eux pour s'additionner, se multiplier; M. Florentin au milieu tournoyait comme une bulle.

Les heures s'écoulaient, les jetons s'accumulaient dans les mains de Florentin qui, maintenant, appelait sans cesse le changeur pour avoir des plaques d'un million, plus maniables.

Il s'approcha du « tout va », mit quatre millions sur chacun des deux tableaux. Il avait la gorge sèche, et alla boire un verre d'eau gazeuse qu'il paya sur la monnaie qui lui restait de ses vingt mille francs de la veille.

Quand il revint, il y avait foule autour de lui; il ne comprenait pas pourquoi. En deux coups, ses huit millions abandonnés en avaient produit trente-deux. C'était la fin du sabot. Le banquier prit peur et arrêta la partie.

On poussa Florentin vers la grande table de chemin de fer, à la place naguère réservée pour M. Mawar. Il crut perdre un moment; puis le tas de plaques se mit à regrossir prodigieusement en face de lui. On le vit alors accomplir une chose jamais faite. Sur un coup énorme, ayant huit en main, il demanda une carte au lieu d'abattre. Il tira un as. La banque avait huit. Ses adversaires, indignés, quittèrent la table. Florentin ne sut jamais qu'il avait joué contre le maharadjah de Pendour, le milliardaire Marielli, le duc de Marascal, et Constantin Sardak le plus puissant producteur de cinéma des États-Unis.

Les salles se dépeuplaient. Les joueurs, les croupiers, tout le monde semblait assommé. C'était la fin, la fermeture. Seul Florentin continuait à vivre dans la griserie et le miracle. Il avait le front bouillant, les nerfs surexcités. Une joie jamais ressentie l'habitait. Il voulait continuer.

— Non, Monsieur, on ne joue plus.

Florentin regarda sa montre, une montre neuve achetée l'avant-veille. Cinq heures du matin. En tout il avait gagné quarante-sept millions, « et des pous-

sières ». Royal, pour la première fois, il laissa « les poussières », cent douze mille francs, au personnel. « M. Mawar
m'approuvera certainement. »

Puis, chargé d'une fortune qui débordait de ses
poches, il sortit en courant du casino et se précipita
vers le restaurant de nuit, en pensant : « Sûrement,
M. Mawar n'y sera plus. »

M. Mawar était là, le ventre entre les cuisses, immobile
sur une banquette, et sa maîtresse auprès de lui, chargée
d'émeraudes. Ils étaient parmi les derniers clients.
Deux couples, épuisés d'insomnie, dansaient dans une
lumière d'aquarium.

Florentin passa en courant, faillit s'étaler sur la
piste.

— Regardez, monsieur Mawar! Regardez tout ce
que j'ai gagné!

Il exultait; il resplendissait; il suffoquait tout en
déposant billets et plaques sur la table.

L'obèse aux yeux sombres n'eut pas un geste, pas un
tressaillement.

— Voilà ce que j'attendais. J'étais certain que
cela devait arriver. Je sais que le jeu ne vous amuse
pas, dit-il en s'adressant à sa compagne. Voyez pourtant
comme c'est intéressant. Cet homme m'a dit qu'il
n'avait jamais eu de chance. Alors je l'ai envoyé perdre;
je lui ai fait jouer la contre-chance. Puisqu'en jouant
tous les jours, pour gagner, comme je le fais, on perd
régulièrement, j'ai pensé qu'en jouant aussi régulièrement, avec la volonté de perdre, il était impossible qu'il
n'arrivât pas une fois où l'on soit obligé, fatalement, de
gagner... Deux cent mille par vingt-trois... cela fait
environ cinq millions de mise de fonds, pour... vous

voyez, une cinquantaine de millions. Avouez que c'est peu...

Florentin n'écoutait pas. Il pensait : « Qu'est-ce qu'il va me donner, là-dessus?... Il va bien me laisser cinq pour cent... peut-être dix... »

— Merci, mon ami, bonne nuit; je ne vous retiens plus, dit Mawar en mettant le trésor dans une serviette de table.

— Est-ce que... monsieur Mawar... enfin... dit timidement Florentin.

L'obèse le regarda d'un air surpris.

— Quoi donc?

Il noua tranquillement les coins de la serviette, et Florentin sentit le sang fuir de ses membres.

— Mais, monsieur Mawar, mes vingt mille francs? Même pas ça?

— Ah! non, mon ami, répondit Mawar. Je vous les donnais pour perdre, pas pour gagner. Je vous remercie. Désormais je n'ai plus besoin de vous.

M. Florentin sortit, la nuque basse, le crâne vide, et il grelotta dans la nuit finissante. Il était soudainement dégrisé et éperdument misérable.

Il lui restait encore quelques billets, la fin de son salaire de la veille. Il alla prendre un café-crème dans un petit bistro où se retrouvent, après la fermeture des jeux, les croupiers, les chauffeurs, les clochards, les marchandes de fleurs et les joueurs infortunés. Tout le monde le regardait, tout le monde chuchotait à son propos. Il ne finit pas sa tasse.

La légende de Monte-Carlo abonde en tragédies, et l'on ne compte plus le nombre de ceux qui, venus tenter leur dernière chance, s'ouvrirent les veines dans leur baignoire, se tirèrent une balle dans la cervelle, ou finirent dans la mer. Mais personne ne comprit pourquoi s'était tué le petit homme, au front marqué d'un zéro, dont on retrouva, le matin, au pied du rocher fameux, le corps démantibulé, seul joueur qui se fût jamais suicidé après avoir gagné.

1950

UN VIEIL AMOUR

DEPUIS près de dix ans, la mère Léger répétait à son mari :

— Mon père Léger, c'est toi le plus vieux du village, à présent; ça va être à ton tour d'y passer.

Et chaque fois, le père Léger répondait en secouant la cendre de sa pipe contre le landier :

— Ça ne serait que justice, ma femme; j'ai fait mon temps. Je m'en irai t'attendre à la mi-côte.

La mi-côte, c'était le cimetière, dont le chemin prenait à l'angle de leur maison. Les convois, obligatoirement, défilaient devant leur porte.

Il y avait beau temps que le père Léger avait franchi l'âge moyen de la mort. Il était le seul du pays à avoir vu le calvaire du chemin de Quatremare sans le cornouiller qui l'ombrage. A moins que ce ne fût son père qui lui ait raconté cela. Mais la mémoire d'Anatole Léger était si vieille que ses souvenirs et ceux de son père s'y confondaient. Ce dont il était sûr, c'est que, gamin, il y avait cueilli des cornouilles. Or personne ne savait plus depuis combien d'années l'arbre avait cessé de donner des fruits.

Le père Léger avait travaillé toute sa vie dans la

même ferme, d'abord comme petit valet, puis comme grand valet, et enfin comme premier valet. Il avait connu trois générations de maîtres, et n'était parti que lorsque les terres avaient changé de famille.

Maintenant, il ne bougeait plus guère et ne voyait plus rien. Depuis dix ans, c'était sa femme qui l'habillait, le déshabillait, le rasait deux fois la semaine et le conduisait par la main dès qu'il avait un pas à faire.

Il passait ses journées assis droit sur sa chaise de paille, les mains posées sur les genoux, dans l'unique pièce du logis, au coin du feu qui brûlait été comme hiver.

Ce jour de juillet la mère Léger était en train de désherber, dans le jardin. Elle vit tout à coup des oiseaux noirs lui voler devant les yeux; ses oreilles se mirent à carillonner, et elle dut s'appuyer au manche du râteau pour ne pas tomber.

« Ça doit être la chaleur », se dit-elle.

Elle s'assit un moment à l'ombre.

Mais les oiseaux noirs continuaient à voltiger. Elle étouffait. Elle rentra dans la maison. Elle voulut repasser une blouse du père Léger, mais comme elle en étendait les plis, toute la pièce se mit à tourner autour d'elle.

— Dis donc, ma femme, c'est le jour de ma barbe, dit le père Léger.

— On la fera au soir; je me sens malaise.

Elle suffoquait; il lui semblait que son cou allait éclater.

Vers le milieu de l'après-midi, une voisine s'inquiéta de la couleur cramoisie de son visage et alla chercher le médecin.

Celui-ci trouva la mère Léger effondrée sur un escabeau, et impuissante à dégrafer son corset.

— Je n'ai jamais été malade, je n'ai jamais été malade, ça ne sera rien... murmurait-elle.

Le médecin tenta de lui faire une saignée. Le sang se coagulait, noir, sans vouloir sortir.

— La mère Léger, je ne cache jamais la vérité, lui dit-il. Si vous avez des volontés, il ne faut pas attendre.

Comme elle ne semblait pas comprendre, et qu'il ne voulait pas encourir les reproches de la famille... « On n'a pas appelé le notaire; on n'a pas appelé le curé... », il ajouta, doucement :

— Ma pauvre mère Léger, vous allez crever.

Quand le père Léger entendit la phrase du docteur, il cessa de penser à sa barbe pas faite, et ses mains déformées se mirent à trembler.

Il avait épousé la belle Marie au temps où il était déjà grand valet. Elle avait seize ans de moins que lui, et leur mariage avait fait jaser.

Il avait vu Marie vieillir, jour après jour, à côté de lui; mais il avait de l'avance sur elle. Et lorsque, sur les dernières années, la figure de Marie Léger se veina de couperose, que la peau de son crâne commença de paraître entre les mèches tirées, et qu'elle eut, comme elle disait, « de l'hydropisie dans le ventre », Anatole Léger, lui, était aveugle déjà.

Comme ses souvenirs lointains étaient les plus vivaces, l'image de Marie vieillissante s'était effacée, et, quand il pensait à elle, il lui rendait le visage qu'elle avait à vingt ans. Aussi ne comprit-il pas tout d'abord que le Bon Dieu fît périr une fille si belle. Il lui fallut faire un gros effort pour se rappeler qu'elle avait... qu'elle avait... quatre-vingt-treize ans moins seize... Il n'arriva pas à faire le calcul; mais ses mains cessèrent de trembler parce qu'il eut une somnolence et oublia que sa belle Marie trépassait.

La vieille Marie était couchée; elle avait les lèvres violettes, et son ventre énorme soulevait l'édredon. Elle vit, dans un brouillard piqueté de suie, le curé s'approcher, suivi d'un enfant de chœur qui portait des sonnailles. Pas plus que le médecin n'avait pu lui tirer de sang, le curé ne put lui tirer une parole. Tandis qu'il lui posait des questions, elle se mit à râler, la bouche entrouverte. Elle entendait de vagues chuintements; une pluie noire tombait sur le visage du prêtre et le surplis de l'enfant.

Au soir, Marie Léger cessa de râler; il lui sembla que ses forces revenaient, et elle entendit une voix grave lui dire :

— Mère Léger, vous allez crever...

Elle ne savait plus à qui appartenait cette voix, ni de quand elle datait. Mais son cœur s'affola, et la suie se remit à tomber. Elle appela :

— Mon père Léger !... Mon père Léger !

Le père Léger s'était étonné un long moment que Marie ne vînt pas le chercher pour le déshabiller. Puis il s'était endormi, sa pipe entre les doigts.

Les cris de sa femme l'éveillèrent à demi.

Marie Léger délirait. Elle était en train de monter à la mi-côte. Elle montait couchée, et pourtant elle marchait. Un gros oiseau noir lui cognait contre la poitrine, et l'oiseau avait une tête de diable affreuse, avec un nez de perroquet, et ce nez riait. Et la mère Léger se sentait grande, mais grande... et il pleuvait...

Elle s'arrêta au cornouiller du calvaire de Quatre-mare, ce qui faisait un sérieux détour pour aller au cimetière. Là, l'oiseau cogna moins fort, et les pieds de la mère Léger devinrent tout petits et s'en allèrent loin d'elle.

— L'orage a cassé une branche au cornouiller, dit-elle.

— Il est comme nous, ma femme, il se vieillit, mais il tient bon quand même.

La voix de son mari fit redescendre la mère Léger au bas de la côte, dans son lit. Par la fenêtre restée ouverte elle voyait la nuit de juillet; la clarté de la lune éclairait, au coin de la cheminée, le père Léger, droit sur sa chaise, avec sa moustache blanche dépassant de son profil.

L'oiseau noir s'était remis à cogner. Il avait la tête mauvaise de Ferdinand le vacher. C'est pour cela qu'il lui faisait si mal! Ferdinand le vacher la poursuivait partout. Jusqu'à la buanderie, elle le retrouvait derrière elle; il avait un œil fermé, et le rire de Satan. Et le jour qu'il avait voulu la renverser dans le chemin creux, elle venait le dire à Anatole. Ferdinand le vacher était grand et fort, mais Anatole était encore plus grand et plus fort, et bien plus beau. Elle ne l'avait jamais trompé. Et Anatole, dans la cour de la ferme, levait son grand fouet de premier valet. Ferdinand le vacher devenait vieux, et les cloches se mettaient à sonner.

« Pour qui c'est-il qu'on sonne le glas? » demandait le père Léger. — « C'est pour Ferdinand le vacher... »

Le père Léger n'en voulait plus à Ferdinand. Et la mère Léger conduisait son mari à l'église pour l'enterrement de Ferdinand.

— Mon père Léger, c'est maintenant toi le plus vieux du village. C'est à ton tour d'y passer.

Il faisait frais. Le père Léger se crut au matin, sans comprendre comment il se trouvait déjà habillé. Et, comme chaque matin, il sortit de la poche de son pantalon une vieille vessie de porc, et bourra sa pipe, lentement.

Puis il répondit, une fois de plus :

— Ça ne serait que justice, j'ai fait mon temps. J'irai t'attendre à la mi-côte.

L'horloge de l'église, au loin, se mit à sonner. La mère Léger ne l'entendit pas parce qu'elle avait déjà trop de cloches dans les oreilles. Mais le père Léger comptait les coups tout bas, selon son habitude... Trois... quatre... Il s'arrêta à sept; l'église continua jusqu'à onze. Alors le père Léger fut pris d'inquiétude. Avec une fraîcheur pareille, cela ne pouvait pas être onze heures du matin. Comment se trouvait-il éveillé si avant dans la nuit?

Il entendit :

— Anatole, Anatole!

C'était ainsi que sa femme l'appelait aux premiers temps de leur mariage. Alors il se souvint que toute la vie était écoulée; une grande tristesse l'enveloppa, et ses mains tremblèrent si fort qu'il pouvait à peine tenir sa pipe.

Pendant ce temps Marie Léger arrivait à la mi-côte, pour s'y coucher auprès de son père Léger. Or c'était Ferdinand le vacher qui l'attendait à la grille.

— Anatole!...

Elle ne pouvait pas partir, tant ses jambes étaient lourdes. Elle avait beau s'élancer de tout son corps, elle était prise par les pieds, comme un merle à la glu.

Et Ferdinand s'approchait d'elle. Il avait son rire méchant ; elle voyait le dessous de ses narines poilues. La main de Ferdinand grandissait, devenait immense, et la mère Léger en avait la poitrine écrasée... Enfin ses jambes s'allégeaient, et elle s'enfuyait, ce qui lui faisait battre atrocement le cœur. Elle entendait un bruit de sabots la poursuivre. Elle se retournait et elle voyait le vacher, sous la lune, qui courait vers la maison.

— Anatole, ferme la fenêtre ! s'écria-t-elle.

— Tu as froid, ma femme ? répondit le père Léger. Tu sais bien que je n'y vois pas ; faut me guider.

Son chagrin devint plus pesant. Marie était-elle si près de la fin qu'elle ne se rappelât plus qu'il était aveugle ?

Il fallait faire quelque chose pour elle. Il secoua sa pipe, la mit dans sa poche, se leva de sa chaise. Et puis il resta là, n'osant avancer.

Quand la mère Léger aperçut son mari debout, elle sursauta. Son délire s'embrouilla de colère. Léger lui avait menti : il ne l'attendrait pas à la mi-côte. « La mère Léger, vous allez crever... » Et lui restait là pendant qu'elle mourait. Qu'il ait passé son tour à tous les autres vieux du village, elle en était heureuse et fière. Mais il ne fallait pas lui faire ça à elle. Il lui avait bien juré qu'il ne la quitterait jamais.

Elle voulait qu'Anatole montât le premier. Sinon, là-haut, l'oiseau noir et Ferdinand ne la laisseraient pas en repos. Si seulement elle avait pu le pousser par les épaules.

— Marche, dit-elle. Je vais te guider.

Le père Léger obéit. Les mains en avant, les pieds raclant le sol, son grand corps incliné sous les rayons de lune, il traversa la pièce, portant sa propre nuit.

— N'y a-t-il rien devant? demanda-t-il.

— Va tout droit.

Les mains d'Anatole rencontrèrent un obstacle :

— Ma femme, je suis à la table.

— Tourne à gauche... là... continue... mon père Léger.

La mourante, de son lit, suivait tous les mouvements du vieil homme. Elle y perdait ses dernières forces. Et l'oiseau noir cognait, cognait...

Le père Léger s'était arrêté et palpait le vide.

— Est-ce que je suis encore bien loin?

Le battant de la fenêtre se présentait par la tranche, à un demi-pas.

— Avance ferme!

Les mains du vieux passèrent des deux côtés de la vitre; et il vint donner de la tête contre le montant de bois. Il en resta un bon moment étourdi. Il ne se rappelait plus pourquoi il était là.

— Maintenant, où faut-il que j'aille? dit-il.

— A la mi-côte, répondit la mère Léger.

Alors, le père Léger s'affola. Il voulut regagner sa place; il se heurta la cuisse au coin de la table. Il repartit, erra longtemps, suivit les murs, contourna les meubles; il finit par retrouver sa cheminée, puis sa chaise, et il s'assit, épuisé.

Seul le balancier de l'horloge emplissait le silence. Le père Léger savait maintenant que sa femme ne le conduirait plus jamais par la main. Il savait aussi que les plus belles images de Marie — Marie sur le chemin, un soir d'automne, quand ils jouaient à qui marcherait le plus vite, et qu'il l'avait embrassée pour la première fois, Marie le jour de la noce, avec son voile, Marie faisant les foins au début de sa grossesse, quand rien encore

ne se remarquait — il savait que ces images n'étaient
plus à lui pour longtemps et allaient se dissoudre dans
l'universel sommeil.

« La mère Léger... » S'était-elle assoupie, ou bien
avait-elle perdu connaissance?... Elle avait l'impression
de remonter du fond d'un lac. « Oui, docteur, je sais.
Mais qui c'est-il alors qui va faire la barbe à mon père
Léger? Il ne supportera pas une autre main. Et lui
préparer son fricot... »

Le gros édredon d'andrinople rouge, où jouait la
clarté de la lune, s'arrondissait au-dessus d'elle, comme
au temps de sa grossesse.

— Anatole, donne-moi donc ma couture, demanda-
t-elle.

Puis elle se souvint; Anatole ne répondrait pas. Il
s'était assommé en se cognant contre la fenêtre. A son
âge, il n'avait pas résisté...

Or, voici qu'Anatole était debout devant elle, et
qu'il lui disait :

— Où est-elle ta couture? Faut me guider, tu sais bien!

Et la mi-côte, alors? Avait-il oublié? A table, il était
servi le premier. A l'église, il entrait avant elle. Partout
et toujours elle n'avait fait que le suivre, heureuse
simplement de marcher derrière lui. Elle saurait bien le
forcer à mourir d'abord.

— Va, tu n'as rien devant.

Le père Léger prit un rude coup sur le tibia en
renversant l'escabeau.

Minuit sonnait à l'église. Le père Léger s'arrêta pour
compter.

— Mais tu ne peux pas y voir, tu ne peux pas me
diriger; il fait trop nuit, dit-il.

— Mais si, j'y vois; il y a de la lune bien assez...
Là, tu arrives... tu sens? C'est le buffet; ouvre-le.
Tout en bas... à gauche...

Le vieux se baissait lentement, par saccades.

« C'est vrai qu'elle y voit », pensa-t-il en rencon-
trant sous ses doigts le panier à couture. Il se redressa
plus péniblement encore.

— Suis le mur... marche, marche ferme.

Il semblait bien au père Léger que ce n'était pas
la direction du lit. Pourtant, il avança. Il avait les mains
prises par le panier. Il entendait tout proche le bruit du
balancier. Il rôdait autour de l'horloge. Il crut l'avoir
dépassée. Il s'y heurta brutalement.

La vieille horloge, haute et mince, vacilla sur ses
pieds instables et vermoulus; l'un d'eux, pourri jusqu'au
cœur, dut céder, car le père Léger sentit la longue caisse
s'incliner et venir se coller contre son épaule. Alors il
lâcha le panier et lutta avec l'horloge. Et voici que la
sonnerie, qui ne marchait plus depuis des années, se
déclencha; le poids se mit à descendre à toute vitesse,
dans un bruit d'engrenages affolés, et le timbre sonna
à la file toutes les heures de la journée.

Le père Léger fléchissait, vaincu par ce vacarme autant
que par la fatigue. La tête lui faisait mal; il éprouvait au
front une sensation de brûlure. Après tout, cassée pour
cassée, qu'elle tombe, l'horloge, où elle voudrait. Elle
aussi avait fini son temps et son service.

L'horloge resta comme elle se trouvait, un peu penchée
du côté de son pied pourri, mais beaucoup moins que
ne le croyait l'aveugle. Celui-ci avait peine à se tenir
debout. La chaux du mur s'écaillait sous ses mains, à
mesure qu'il avançait. Puis la matière changea; il

reconnut le bois de la porte. Il avait contourné la pièce et revenait à la cheminée...

La mère Léger sentait son lit chavirer sous elle, et parfois se retourner; alors elle était prise en dessous et elle étouffait. Puis, le lit se remettait à l'endroit et la mère Léger avait un moment de répit pour voir à côté d'elle luire faiblement le carton coloré du calendrier des postes, pendu au même clou que le rameau de buis.

— Eh bien, tu sais, mon père Léger, c'était hier nos noces d'or!

Non, ce n'était pas tout à fait hier; c'était huit ans plus tôt. Mais la pensée du père Léger était tellement pétrie des mêmes souvenirs, qu'il put répondre comme il l'avait fait huit ans auparavant :

— Il vaut mieux que ça se soit passé sans qu'on le sache, ma femme; maintenant que le gamin est mort, on n'a plus rien à se souhaiter.

Le gamin... La mère Léger était chez l'épicier quand la mère Joly, la postière, lui avait remis le télégramme... Quand on pense qu'il avait fait toute la guerre, le gamin, sans rien avoir qu'une pneumonie. Tout ça pour se faire écraser sous son échafaudage, à quarante-neuf ans, et même pas chez lui.

La mère Léger gémissait sous toutes les poutres qui lui broyaient la poitrine. Vraiment, il n'y a pas de justice, vraiment, le Bon Dieu n'a pas pitié. Et les prix qu'ils demandent avec cela, pour un wagon plombé! Il était sain le gamin; pourquoi un wagon plombé? Les pauvres ne peuvent pas se payer des choses pareilles. Il ne serait pas à la mi-côte, voilà; il fallait se résigner.

— Mon père Léger, donne-moi le certificat du gamin.

Elle avait rangé dans l'armoire son voile de crêpe noir. Elle allait en avoir besoin de nouveau pour monter le père Léger là-haut, porté à bras par six frères de la Charité vêtus comme des archidiacres.

— Mais qu'est-ce que tu veux, ma femme? Ton voile... ou bien le certificat?

— Le certificat. Tu sais bien, il est sur le rebord de la cheminée, au-dessus de toi; n'aie pas peur, lève la tête.

Ah! mais non, le père Léger ne se redresserait pas comme cela! Parce que sa cheminée, il la connaissait; c'était son coin, bien à lui. Il en savait toutes les dimensions, toutes les aspérités; le coin de la hotte était au-dessus de sa tête.

Pourquoi sa femme voulait-elle qu'il se relevât? « Ce n'est pas normal. » Il y avait eu la fenêtre; il y avait eu l'escabeau, il y avait eu l'horloge... « C'est-il qu'elle n'y voit plus ou qu'elle le fait exprès? » se demandait-il tout en se redressant avec prudence.

Ses doigts saisirent, sur le rebord de la hotte, un cadre mince et déverni qui contenait le certificat d'études primaires de leur fils. Il se rappela que c'était le gamin lui-même qui avait fabriqué ce cadre. Dans un coin, Marie avait glissé, plus tard, la photographie d'un fantassin à moustaches blondes.

Le vieux Léger se dirigea à tâtons vers le lit.

— Tiens, Marie, dit-il, voilà le gamin.

Il crut qu'elle avait pris le cadre. Il entendit le verre se briser sur le sol.

« C'est qu'elle voulait le voile, alors », pensa-t-il.

L'armoire était tout près du lit. Le père Léger retrouvait ses gestes d'autrefois. La porte se décrochait facilement; il s'en souvenait. Il ne l'ouvrit pas complètement. Ses mains errèrent sur les rayons. Il rencontra une pile de draps et, derrière, un chapelet et un tablier d'enfant.

Puis, il continua sa recherche, trouva une étoffe légère et bien pliée. La mère Léger prononçait des paroles sans suite, où le père Léger parvint à comprendre :

— La mi-côte... Faut y aller, père Léger... Pourquoi tu veux pas m'attendre...

Puis ce ne furent plus que des sons inarticulés, gargouillants.

« Marie Mouchet », se dit-il, retrouvant brusquement et comme si c'était là une illumination, le nom de jeune fille de sa femme. Il était au bord du lit, les genoux appuyés au sommier.

Un vieux geste de tendresse lui revint aux doigts; il voulut caresser le front de Marie. Mais il rencontra la bouche d'où s'échappait quelque chose de chaud et de gluant; il s'essuya machinalement la main au voile qu'il croyait noir. Puis il retourna vers sa cheminée, reprit sa chaise. En chemin il laissa glisser le voile.

Il se répétait : « A la mi-côte... à la mi-côte... » C'était vrai qu'il lui avait toujours promis de l'attendre! Et peut-être bien que l'horloge, la fenêtre, c'était pour le lui rappeler. Car lorsque Marie avait une idée en tête... Pauvre Marie, si belle! Que ferait-il sans elle? Il serait emmené à l'hospice du chef-lieu. On le mettrait dans un autre cimetière, tout seul, comme le gamin.

— Marie! je n'ai que toi pour lumière, murmura-t-il.

Il ne pensait presque plus. Il souffrait de la tête et éprouvait un grand besoin de sommeil. Il écoutait Marie respirer. Le peu de lucidité qui lui restait s'était concentrée sur ce dernier témoignage de vie chez sa compagne.

Marie avait un souffle court, sifflant, coupé d'arrêts. Le vieil Anatole suivait ce souffle avec son souffle; sa poitrine se soulevait au même rythme haché. Le sifflement cessa un moment; puis il y eut une reprise brève, puis encore un arrêt; puis une expiration très faible.

A l'instant même où commença le silence, il sut que sa belle Marie était morte... Il revit le chemin, à l'automne, où ils avaient joué à se dépasser.

— Je marche plus vite que vous, Marie; je serai rendu avant...

Il l'avait embrassée. C'était peut-être bien sur le chemin de la mi-côte... Il crut qu'il se levait. Il ne bougea pas.

Au jour venu, les voisines, par la fenêtre restée ouverte, aperçurent la mère Léger, sur son lit, les yeux retournés.

L'horloge, arrêtée à minuit, penchait tout de travers. La pièce était en désordre, à croire qu'on s'y était battu. Un voile de mariée traînait sur le carreau, et des bobines de fil avaient roulé partout.

Près de la cheminée, le père Léger était assis, la tête inclinée et les mains sur les genoux. Il était froid; son corps s'écroula d'une pièce lorsqu'on lui toucha l'épaule. Il portait une petite plaie au front et sa barbe pas faite continuait à pousser.

Le lendemain, ils furent portés à la mi-côte, le mari devant, ainsi qu'il se devait.

1941

III

L'HOTEL DE MONDEZ

A Geneviève.

Les portes du rez-de-chaussée claquèrent. Les employés de la Société du Grand Egout Collecteur quittaient leurs bureaux.

Au premier étage, le chanoine Augustin de Mondez posa sa plume et se leva pour se détendre un instant. Comme il avait soixante et onze ans, le plus gros de son courrier était constitué par des faire-part de deuil, dont il utilisait les dos encadrés de noir pour prendre des notes. Ces faire-part, liés par des élastiques, des lacets de souliers, ou répandus en vrac, s'accumulaient depuis des années sur les trois meubles à écrire, recouvraient les encriers, haussaient le pied des lampes, encombraient les fauteuils, s'éparpillaient sur les tapis, si bien que la pièce finissait par ressembler à une entreprise de pompes funèbres en temps d'épidémie.

Maigrelet, presque aussi petit debout qu'assis, le crâne pâle et plissé, le front sans sourcil, l'épaule effacée, Augustin de Mondez, les mains dans les poches, marchait en faisant avec sa soutane la roue de dindon, geste qui accompagnait ordinairement sa méditation.

Il se répétait les dernières lignes qu'il venait de tracer et cherchait son enchaînement.

« *C'était le temps* (ive *siècle avant Notre-Seigneur),
où Pythéas et Euthymène, aventureux enfants de Massalia
la Phocéenne, poussaient déjà leurs nefs, le premier
vers les blancs rivages de Scandinavie, le second jusqu'au
noir Sénégal...* »

Le soleil écrasait les toits, et l'air surchauffé bouillait
sur les tuiles. Des odeurs d'huile à frire, de basilic
et de charbon de bois flottaient à hauteur des
narines.

Ainsi que la plupart des existences humaines, l'hôtel
de Mondez offrait deux façades qui s'ouvraient sur des
mondes différents. La façade principale donnait sur
les platanes et les demeures nobles des allées Léon-
Gambetta, autrefois allées des Capucines, et que l'aris-
tocratie marseillaise s'obstine à appeler « les Allées »
tout court. Les pièces de réception, les salons de compagnie, étaient tournés de ce côté-là. L'arrière de l'immeuble
prenait sa vue sur un entrelacs de courettes sordides,
d'appentis misérables où s'abritaient les petits métiers,
de bouquets de verdure préservés par miracle, de fenêtres pavoisées de lessives, de murs noirâtres, hérissés
de garde-manger en treillis sur lesquels retombaient
toutes les suies de la gare Saint-Charles.

Les quarante-deux ouvrages d'Augustin de Mondez,
chanoine honoraire, étaient nés devant cet horizon.

« *Ouvrant ainsi, dès la plus haute antiquité, les voies
de la navigation au commerce de notre opulente et indus-
trieuse cité...* »

Là-bas, par-delà les courettes, sur l'étroite terrasse
d'une maison qui semblait propre parmi tant de sur-
faces lépreuses, une jeune femme brune, en peignoir
à ramages, apparut. Elle regarda le ciel un instant,

étala un matelas blanc rayé d'orange, ôta son peignoir et, avec une impudeur tranquille, s'étendit nue, à plat sur le ventre.

« Ah! il est midi », se dit le chanoine.

Car cette inconnue aux cheveux noirs et aux formes dorées, aussi ponctuelle qu'un jaquemart sortant de son beffroi, servait d'horloge au quartier sans que personne en prît offense.

Ainsi, les choses étaient en ordre et ce jour ressemblait à tous les autres jours.

Le chanoine n'avait pas lieu d'être mécontent de sa matinée. Depuis qu'il avait dit sa messe à six heures trente, à l'église des Réformés, et mangé, en rentrant, un petit pain au lait trempé dans une tasse de café noir, il avait empli six feuillets d'une écriture fine et régulière, aux lignes serrées comme des portées de musique, sans une rature... « Augustin ne biffe jamais », se plaisait à déclarer sa sœur Aimée, comme si ce fût une marque d'honneur pour la famille.

Il alla s'assurer que les deux portes du bureau étaient bien fermées. Il avait toujours soin de tourner les clefs avant de commencer à travailler; mais il se connaissait bien et se défiait de sa distraction.

Il poussa un marchepied de chêne devant une grosse armoire Renaissance, à deux corps, chef-d'œuvre de l'ébénisterie provençale, si belle qu'on en avait tiré une carte postale. Retroussant sa soutane sur des caleçons violets — de vrais caleçons de prélat, dont sa sœur Aimée avait acheté tout un stock, en solde, dans la déconfiture d'une maison spécialisée.. « Si Augustin avait voulu, il aurait très bien pu être évêque; et puis d'abord, en dessous, ça ne se voit pas... » — le chanoine grimpa sur le petit escabeau et ouvrit les deux portes du corps supérieur de l'armoire.

Lourds volumes dorés sur tranches et reliés en maroquin rouge, brochures de naguère, à cinquante sous, plaquettes, recueils, compilations, jeux d'épreuves, manuscrits, son œuvre complet était entassé là dans le plus grand désordre. On imaginait mal qu'une même main ait pu rédiger, avec une aisance égale, une étude sur la dispersion des reliques de saint Ferréol, un manuel d'éducation à l'usage des jeunes aveugles, l'inventaire détaillé des faïences de Moustiers appartenant à M. le marquis de Pigusse, une anthologie de la littérature eucharistique, ni qu'une même pensée ait pu s'intéresser aussi bien aux pannetières arlésiennes, à la mise en scène traditionnelle des pastorales en cinq actes, à l'oracle de Delphes, à la route des épices au xive siècle ou à l'étreinte réservée dans le mariage chrétien.

Pourtant, c'était le cas du chanoine de Mondez, dont la spécialité était de n'en avoir aucune et d'être apte à traiter de tout, à condition qu'on lui ait fourni le sujet. Des éditeurs, établis en diverses villes de province et insoupçonnés du grand public, s'adressaient souvent à lui sans jamais éprouver de refus, de retard, ni de déception. Le chanoine complétait les collections en souffrance, reprenait à son compte des travaux laissés inachevés par des auteurs présomptueux ou prématurément décédés. Rien ne le rebutait. Son chef-d'œuvre, le Dictionnaire, en quatre volumes, du Trésor des églises de Provence (couronné par l'Académie française), lui assurait depuis quarante ans, dans les lettres et la société marseillaise, une place prééminente que nul ne songeait à lui disputer.

Devant un tel labeur accompli, Augustin de Mondez
aurait pu s'enfler de quelque vanité. Mais il était exempt
de ce vice, comme de tous autres d'ailleurs. Son esprit
ne s'attardait jamais à ce qu'il avait fait, mais se tournait seulement vers ce qu'il ferait demain, et l'âge n'avait
en rien diminué son ardeur d'entreprendre.

Perché sur la troisième marche de l'escabeau, il passa
la main derrière ses livres et fut tout surpris de n'y pas
trouver l'objet qu'il cherchait. Par trois fois, il plongea
jusqu'au ventre dans les ténèbres de l'armoire, déplaça
vainement le Trésor des cathédrales, acheva de mettre
le fouillis parmi ses brochures, ressurgit enfin, nerveux,
le visage légèrement coloré, l'âme inquiète. Son pot de
miel avait disparu.

« Aimée aurait-elle découvert ma cachette? » se demanda-t-il avec angoisse. Car depuis que Mlle de Mondez
se croyait menacée de diabète, elle privait toute la
maison de sucre, et principalement son frère le chanoine... « Augustin a toujours les mêmes maladies que
moi. »

Or, le chanoine savait bien que le sucre est nécessaire
aux intellectuels; pour apaiser les petites fringales qui
lui venaient en travaillant, il avait pris l'habitude de
dissimuler un pot de miel dans l'armoire Renaissance,
certain que là — certain jusqu'à ce jour! —, protégé
par le rempart de son œuvre, défendu par le respect,
personne n'oserait y toucher.

Il s'échappait du meuble un parfum sucré, alpestre,
et les tranches des volumes étaient tout engluées.

Le chanoine essuya dans le fond de sa poche ses doigts
poisseux. « Peut-être, distrait comme je suis, l'aurai-je
mis ailleurs », se dit-il. Il ouvrit les tiroirs des trois meu-

bles à écrire — une immense table italienne de haute
époque, un secrétaire Louis XVI à cylindre, une table
à jeu Napoléon III au drap mité — car le chanoine
ne travaillait jamais à moins de trois ouvrages à la fois.
Il bouscula vainement les avis mortuaires d'un millier
de ses contemporains « Tiens, j'avais oublié qu'il n'était
plus, ce pauvre », se disait-il parfois, mais sans être
détourné pour autant de son souci principal.

Ce n'était pas le pot de miel en soi qui le tracassait,
mais la perspective d'une explication avec Aimée, la
difficulté de trouver une autre cachette... enfin, toute
une organisation de l'existence à refaire.

Il décida de s'en ouvrir sur-le-champ à sa nièce Minnie,
la femme de son neveu Vladimir, qui était sa complice
et lui renouvelait régulièrement sa provision. Mais,
comme il allait vers la porte qui communiquait avec
l'office, il entendit la voix de sa sœur Aimée prononcer :

— Surtout, pas un mot à l'abbé. Impressionnable
comme il l'est, évitons de l'inquiéter.

L'abbé, c'était lui. Aimée ne s'était jamais habituée
à le désigner autrement lorsqu'elle parlait devant des
tiers. Bien que chanoine depuis plus de quinze ans,
pour sa sœur il continuait d'être *l'abbé*...

— Vous brosserez la cape de l'abbé... Il faudra une
boîte de plumes pour l'abbé... Ne dérangeons pas l'abbé;
il compose...

Elle n'employait son prénom d'Augustin qu'en sa
présence, et seulement en cercle familial ou intime.

Le chanoine battit en retraite. Quelque nouveau
drame domestique venait sans doute d'éclater, dont
on le tiendrait à l'écart et dont il se garderait bien de se
mêler. La bonne avait dû s'ouvrir la main avec le cou-

teau à pain, ou bien la bassine à friture avait pris feu,
à moins que Mme Alexandre, la concierge, n'eût encore
dit les cinq lettres à l'un des locataires du troisième
étage. Toutes choses également indifférentes au chanoine, qui se trouvait fort bien de la conspiration du
silence que sa sœur entretenait autour de lui.

Il revint vers sa table. « *C'était le temps où Pythéas et
Euthymène*... » Une petite cuiller en argent, au manche
terminé par une fleur de lis, et cadeau d'une dévote
qui avait voyagé en Italie, était devant lui, parmi les
crayons, les bâtons de cire et les porte-plume. Il conservait cet objet pour le souvenir, prétendait-il ; en fait,
il s'en servait pour manger son miel. Elle était bien
inutile, maintenant, la petite cuiller !

A pas légers, le chanoine revint vers la porte et y
colla l'oreille afin de savoir de quelle nature était l'incident qu'il devrait feindre d'ignorer. Dieu merci, il ne
s'agissait pas du pot de miel.

⁎

Mlle de Mondez, de deux ans l'aînée de son frère,
était encore plus petite que lui, c'est-à-dire qu'il s'en
fallait de peu qu'elle n'ait été naine. D'ailleurs, chez les
Mondez, on dépassait rarement le mètre cinquante...
Elle avait les os minces et la figure fripée. Elle était
sans passé, sans aventure et sans imagination. Elle ne
cultivait même pas, comme la plupart des vieilles filles,
l'illusion d'avoir refusé de nombreux mariages. Rien
ne lui était arrivé, et c'était merveille qu'une vie si plate
lui ait marqué tant de rides sur le visage.

Certains êtres naissent dans des arrière-boutiques avec une âme de prince. Mlle de Mondez, elle, était venue au monde, dans l'une des meilleures familles de Provence, avec un cœur de chaisière. Sa chance, une chance qu'elle n'appréciait pas assez, était que son frère eût embrassé l'état ecclésiastique. Elle pouvait ainsi vivre dans une atmosphère de sacristie et faire, sans bouger de chez elle, le ménage du bon Dieu.

Elle portait des robes trop courtes, car elle avait renouvelé son vestiaire vers la fin de la guerre, quand les jupes se faisaient au ras du genou. Et depuis ce temps, elle se refusait à rien acheter de neuf, prétextant qu'elle allait mourir bientôt et que la dépense était inutile.

Elle passait le plus clair de son temps dans l'office, à compter les torchons sales, ou à vérifier des additions. L'office était son poste d'observation, sa passerelle, son point d'embuscade. De cette pièce en boyau, faite de placards et de portes, Mlle de Mondez pouvait surveiller la cour, garder un œil sur la bonne, dans la cuisine, et se lancer sur le visiteur qui sonnait à la porte.

— Et tu es bien sûre, Minnie, que tu l'avais hier soir? demanda-t-elle.

— Mais oui, tante Aimée, j'en suis certaine, répondit la comtesse de Mondez.

— A quelle heure t'es-tu couchée?

— Je ne sais plus, ma tante; onze heures à peu près... je n'ai pas fait attention. J'étais allée jouer au bridge chez les Danselme. En rentrant, je me suis fait une tisane.

— On ne t'avait donc rien donné à boire, chez les Danselme?

— Mais si, tante Aimée, mais j'avais envie d'une tisane.

— Et où te l'es-tu préparée?

— Ici, dans l'office. C'est justement pourquoi je venais voir si, par hasard, je ne l'aurais pas laissé tomber..

La comtesse Minnie dépassait tous les Mondez de la hauteur des épaules. Elle avait quarante-cinq ans, un teint rose, une poitrine généreuse qu'elle portait en avant, à la manière des cantatrices, et qu'elle parait de dentelles et de sautoirs. Elle ne négligeait rien, étant déjà de belle taille, pour se grandir encore, comme si elle avait voulu mieux écraser la famille de pygmées dans laquelle elle était entrée en épousant Vladimir. Elle coiffait en un volumineux bouffant, soutenu par un postiche de crin, ses cheveux blond cendré, déjà fort abondants. Ses admirateurs lui affirmaient qu'elle avait un visage « tout à fait xviiie ». Elle s'était fait un genre. Ses chapeaux étaient toujours empanachés du massacre de quelque volatile précieux, ibis ou aigrette, dont l'aile, la huppe, le camail, frissonnait au vent de sa marche. L'ensemble lui donnait grand air, et on ne la désignait jamais autrement, en ville, qu'en l'appelant « la belle comtesse de Mondez ».

— Rends-toi compte, ma petite fille, reprit Aimée, que ce bracelet, s'il fallait racheter le même aujourd'hui, nous ferait rendre les dents de la gorge.

— Mais qui parle de remplacer, tante Aimée? répondit Minnie. Je vais le retrouver, voilà tout.

— Tu aurais tout de même mieux fait de ne pas le perdre. C'est pourquoi moi, vois-tu, je ne porte jamais mes bijoux... D'ailleurs, on le voudrait qu'on ne retrouverait pas le semblable. De nos jours, on ne connaît plus ce travail-là. C'était un bracelet qui nous venait de notre grand-mère, la Polonaise, et qui faisait partie de sa corbeille. Quand je te l'ai donné, au moment de ton mariage, c'était pour que tu le gardes.

— Mais enfin, ma tante, en vingt-cinq ans, je n'ai jamais perdu...

— Je passerai tout à l'heure chez les Danselme, coupa Mlle de Mondez. Le bracelet a pu glisser derrière le coussin d'un fauteuil; ce sont des choses qui arrivent.

— Mais non, ma tante, s'écria Minnie. Je vous dis...

— Chut! L'abbé! fit Mlle de Mondez en désignant la porte du cabinet du chanoine. Tu veux donc me le rendre malade? Sa grand-mère, tu penses!...

— Je vous répète, ma tante, que je l'avais en rentrant, dit Minnie en baissant la voix.

Et en même temps, elle se demandait :

« L'avais-je vraiment sur moi quand je suis revenue hier soir? »

— Dans ce cas, reprit Mlle de Mondez, il n'a pu disparaître que dans la maison. Où poses-tu tes bijoux quand tu te déshabilles?... Tu m'écoutes?

Les yeux levés vers le ciel, Minnie était en train de refaire mentalement le parcours de sa soirée. Elle sursauta.

— Sur la coiffeuse, dit-elle.

— Quelle coiffeuse? Tu n'as pas de coiffeuse dans ta chambre.

— Je veux dire... sur la table à ouvrage qui me sert de coiffeuse.

— Et ce matin, au moment de le mettre, il n'y était plus. Eh bien! ma petite fille, c'est clair : on te l'a pris. Qui est entré chez toi dans la matinée?

La seule chose qui comptait dans l'instant, pour Minnie, était de détourner Mlle de Mondez d'aller mener chez les Danselme une enquête tapageuse. « Si vraiment j'ai perdu mon bracelet chez eux, ils le retrouveront bien. » Elle continua donc de se prêter de bonne grâce aux questions de sa tante.

— Laissez-moi réfléchir, répondit-elle. Loulou est venu m'embrasser, comme tous les jours avant de partir pour la Chambre de commerce...

Mlle de Mondez haussa les épaules d'un air indigné.

— Ce pauvre petit, il n'est pas question de lui, dit-elle. Tu ne vas pas accuser ton fils, j'imagine?

— Mais je n'accuse personne, tante Aimée. Vous me demandez qui est venu dans ma chambre, je vous réponds.

Et soudain Minnie pensa : « Et si c'était Loulou? » Elle s'était aperçue, à plusieurs reprises, qu'un billet de mille francs manquait dans son sac. De vieux boutons de manchettes, cassés à vrai dire, et qui ne valaient plus que leur maigre poids d'or, avaient disparu le mois précédent. Tout de même, Loulou n'aurait pas pris un objet aussi important, aussi visible que le bracelet... Entre les diverses hypothèses qui se présentaient à elle, et dont la plus probable était aussi la plus secrète, son esprit commençait à s'embrouiller.

« Pourtant, il me semblait bien l'avoir en rentrant. Jamais, jamais pareille chose ne m'est arrivée. »

— Et Mme Alexandre? Elle avait du courrier pour toi, ce matin...

— En effet, mais elle me l'a remis dans le couloir, tout à l'heure.

— Alors, ce ne peut être que Térésa.

On entendit le chanoine marcher derrière la porte; Mlle de Mondez fit signe à sa nièce de se taire. Puis, quand les pas se furent éloignés, elle ajouta :

— Et d'ailleurs, si tu veux que je te le dise, cela ne m'étonnerait qu'à moitié. Cette fille, depuis quelques jours, a un air qui ne me plaît pas. Je la trouve beaucoup moins attentive à son travail; hier, elle m'a répondu sur un ton très déplacé en me disant qu'elle se sentait malade. Pour moi, elle a une idée en tête...

— Croyez-vous, ma tante... dit Minnie d'un ton indulgent.

— Taratata. Je sais ce que j'avance; je connais bien ces gens-là. Il ne faudrait pas qu'elle s'apprête à nous filer entre les doigts en emportant...

Mlle de Mondez s'interrompit et murmura :

— Attention!

Puis, elle feignit de s'occuper à trier des lentilles sur les plateaux d'une vieille balance Roberval qui se coinçait.

Térésa entrait dans l'office, traînant ses espadrilles. C'était une jeune Corse, à forte poitrine, et qui eût été assez belle fille si la nature lui avait donné des jambes plus longues. Elle se lavait peu, mais se parfumait au mimosa. Elle avait de lourds cheveux noirs, dont elle marquait les ondulations par des peignes multicolores, la dent éclatante, le nez court, mais bien formé. Un de ses compatriotes, bedeau aux Réformés, l'avait recommandée au chanoine. « Une brave fille de Calvi. Famille irréprochable. » Elle voulait se placer, économiser ses gages pour se constituer une dot. Depuis deux ans, Térésa était au service des Mondez, chez qui elle travaillait comme un cheval. Dans les premiers temps,

Aimée s'en était déclarée enchantée, comme chaque fois qu'elle engageait une nouvelle domestique. Et puis, les choses s'étaient un peu gâtées. Térésa avait eu le malheur de dire un jour, devant Mlle de Mondez :

— Ce qu'il nous aurait fallu, en Corse, c'est un Garibaldi.

— Vous avez déjà eu Napoléon; cela ne vous suffit donc pas? avait répliqué la vieille demoiselle. Quand on est dans votre condition, Térésa, il faut éviter d'avoir des opinions.

Et elle s'était mise à la surveiller avec plus de vigilance.

— Dites-moi, Térésa, dit soudain Mlle de Mondez s'interrompant dans son tri de lentilles; en faisant la chambre de Madame la comtesse, ce matin, vous n'avez pas vu son bracelet, le gros, en or et en turquoises?

Térésa émergea du placard des assiettes.

— Non, Mademoiselle, je n'ai pas remarqué, répondit-elle.

— Vous n'avez pas remarqué *quoi?*

Térésa la regarda sans comprendre. Elle pensait visiblement à autre chose.

— Je n'ai pas remarqué, voilà tout.

— Et vous n'avez pas été surprise de ne pas le voir?

— Non, Mademoiselle.

— Donc, il y était?

— Je ne sais pas, Mademoiselle, je n'ai pas fait attention.

— Décidément, vous n'avez guère l'esprit à votre travail. On comprend pourquoi tant de choses se cassent... ou disparaissent, dit Mlle de Mondez d'un air pincé. C'est fort ennuyeux, voyez-vous, parce que Madame la comtesse ne le retrouve pas.

Térésa coula un regard noir vers Minnie, qui, gênée, intervint.

— Vous l'avez peut-être déplacé, sans y prendre garde?

— Non, Madame la comtesse, je n'y ai pas touché, dit Térésa.

Et elle s'en alla vers la salle à manger, les bras chargés et les savates traînantes.

— Vous mettrez un tablier propre, n'est-ce pas, puisque nous avons une invitée, lui lança Mlle de Mondez.

*
* *

Le tramway 41 s'arrêta dans la descente de la rue Paradis. Marie-Françoise Asnais — on prononce à Marseille : *Asnaïs* — sortit en courant de l'immeuble.

— Et surtout, ne parle pas trop, lui cria-t-on du seuil.

Le receveur cueillit Marie-Françoise d'un geste rond et la hissa sur la plate-forme.

Le tramway repartit dans un grand brimbalement de ferraille le long de la rue en boyau, bordée de maisons toutes semblables et tristes.

Marie-Françoise n'était pas moins émue que si elle s'était embarquée pour un long voyage. Elle avait la certitude que son sort allait se décider aujourd'hui.

Depuis qu'elle était entrée dans l'adolescence, Marie-Françoise n'avait qu'un rêve, quitter la rue Paradis. Elle détestait ce goulet à mistral; elle exécrait la maison où elle avait grandi; elle ne tolérait plus le mobilier en ronce de noyer, les aquarelles pâles et les lustres en verre translucide qui décoraient l'appartement.

Elle trouvait son père vulgaire, qui ne parlait que du cours des arachides. Elle méprisait qu'il eût fait fortune et ne songeât sans cesse qu'à gagner plus d'argent; mais elle l'eût méprisé bien davantage d'être pauvre.

Entre quinze et dix-neuf ans, la vie passe à une lenteur désespérante, et Marie-Françoise avait pu faire le tour de toutes les chimères. Elle avait successivement songé à être actrice, hôtesse de l'air, parachutiste; elle avait envisagé le scandale, la fugue, l'enlèvement. Le cinéma l'avait beaucoup aidée à supporter ces années pénibles. Maintenant, elle avait opté pour la véritable aventure : le mariage. Mais pas n'importe quel mariage. Elle avait choisi le quartier; elle voulait se marier dans les Allées...

Elle prit dans la poche de son tailleur le rang de petites perles que sa mère lui avait prêté et que, dans sa hâte, elle n'avait pas eu le temps de mettre.

Elle resta un moment hésitante, considérant la bête à bon Dieu, en strass, que sa vieille gouvernante lui avait glissée dans la main à la dernière minute. « Pour le bonheur », avait soufflé miss Nell. La bête à bon Dieu ne paraissait pas, à Marie-Françoise, du meilleur effet. Elle décida tout de même de la piquer à sa boutonnière, par superstititon.

« S'il m'a invitée à déjeuner dans sa famille, se disait-elle tandis que le tramway tournait à la Canebière, ce n'est certainement pas pour rien. »

Elle se répétait les phrases que Louis de Mondez, le front pensif, l'œil lointain, lui avait dites à leur dernière rencontre, lors d'une baignade en groupe, à l'Estaque.

C'était la cinquième ou sixième fois qu'ils se voyaient. Louis de Mondez lui avait fait part de son grand déta-

chement de tout, de sa lassitude des aventures trop
nombreuses, trop faciles, et de sa vaine recherche de
l'amour unique, cet amour qu'hélas, on ne rencontre
jamais.

Marie-Françoise avait répondu qu'elle était tout à
fait dans le même état d'esprit, bien déçue de la grossiè-
reté des hommes d'aujourd'hui et de la vulgarité de leurs
sentiments. Laissant couler un sable sale entre ses
doigts roses, elle était même allée jusqu'à prononcer
le mot de « compagnon idéal »... Elle n'avait pas été sans
remarquer, bien sûr, que Louis de Mondez avait la cage
thoracique assez peu développée, le bréchet creux, et
qu'il s'asseyait dans l'eau plutôt qu'il n'y nageait.
Mais le compagnon idéal n'est pas forcément un champion de stade.

A mesure que passaient les stations — cours Belsunce,
cours Lieutaud, allées de Meilhan — elle sentait son
émoi augmenter.

Elle sortit une glace de son sac, redonna un coup
de peigne à ses cheveux blonds. Ses sourcils étaient
allongés d'un trait de crayon, et son rouge à lèvres assorti
à celui des ongles.

C'étaient ses joues qui lui donnaient le plus de soucis,
car elle les avait rondes et poupines. On n'est pas toujours pourvue, à dix-neuf ans, de ces méplats qui font,
à Hollywood, la fortune des stars. Marie-Françoise avait,
elle était forcée de le reconnaître, le visage de son père.
En public, elle remédiait à ce malheur en aspirant ses
joues et en les maintenant entre les dents, lorsqu'elle
gardait le silence.

Elle descendit du tramway au carrefour des Réformés
et prit à gauche dans les Allées. Le calme de ce jardin,

de cette avenue où les bruits de la Canebière arrivaient amortis, la lumière sous-marine qui régnait sous les platanes épais, la fraîcheur et, surtout, les gros hôtels particuliers, nés d'une fin de siècle cossue, qu'on apercevait entre les ombrages, tout cela exerçait sur Marie-Françoise la fascination des royaumes interdits. Elle voyait du style là où il n'y en avait pas, admirait chaque façade comme si Pierre Puget l'eût sculptée. Elle rêvait aux gens qui vivaient derrière ces hautes fenêtres, qui avaient des couronnes gravées sur leur argenterie, et qui se repassaient de génération en génération, comme une mystérieuse recette, la certitude de leur supériorité sur le reste de l'univers.

Quand elle tira la sonnette, elle eut le sentiment d'accomplir l'un des gestes les plus importants de sa vie.

La sonnette rendit un tintement aigrelet, suivi d'un frottement de cordon, et la porte de l'hôtel de Mondez s'ouvrit d'elle-même sur un vestibule obscur.

— Qu'est-ce que c'est? fit une voix qui descendait des hauteurs.

Marie-Françoise éprouva une légère déception. La concierge habitait sous les toits, comme toutes les autres concierges marseillaises. Que la loge fût au troisième étage, dans un hôtel particulier, la surprenait un peu.

— C'est pour monsieur le comte de Mondez, répondit-elle en essayant de crier le moins possible.

— Pour lequel? demanda le concierge.

— Monsieur le comte Louis de Mondez.

— Ah bon! c'est pour monsieur Loulou. Alors, c'est par ici, au troisième. L'escalier est sur votre droite. Faites attention, il ne fait pas bien clair.

Et la même voix cria :

— Monsieur Loulou, il y a une demoiselle qui monte pour vous.

Marie-Françoise tâtonna du pied. L'escalier décrivait dans les ténèbres une courbe noble. « C'est grandiose, vraiment », pensa-t-elle en regardant la rampe de fer forgé.

*
* *

En entendant l'appel de Mme Alexandre, Loulou rangea précipitamment les jumelles avec lesquelles il surveillait le bain de soleil de l'inconnue du boulevard Dugommier — les jumelles de son oncle Louis de Mondez, tué aux Dardanelles, et qu'il avait découvertes en fouillant un réduit. Il trempa son peigne dans le pot à eau, se recolla les cheveux, serra sa cravate et se précipita sur le palier pour accueillir Marie-Françoise.

— Nous déjeunons au premier étage, chez mon oncle le chanoine, lui dit-il.

Ce « mon oncle le chanoine » plut infiniment aux oreilles de Marie-Françoise.

— Est-ce que je peux voir où vous vivez? N'est-ce pas indiscret? demanda-t-elle pour lui prouver tout l'intérêt qu'elle lui portait.

— Pas du tout... c'est par ici, répondit Loulou sans enthousiasme en la guidant à travers un couloir sombre.

Le troisième étage ne constituait pas la partie la plus flatteuse de l'hôtel de Mondez, et Loulou eût préféré commencer la visite par un autre côté.

Les locaux du troisième étaient répartis entre la loge de Mme Alexandre, la chambre de Térésa, la garçonnière de Loulou; et Mlle de Mondez avait encore trouvé le moyen de louer les pièces disponibles à des retraités de la marine, veufs ou vieux célibataires, qui faisaient leur cuisine sur des lampes à alcool. Les odeurs étaient tenaces.

Loulou ouvrit une porte.

— Oh! mais c'est charmant! s'écria Marie-Françoise avant même d'avoir regardé.

Un lit en cuivre couvert d'une courtepointe au crochet, une toilette en acajou à dessus de marbre, une penderie mal dissimulée par un rideau, un guéridon chargé de romans policiers et de magazines illustrés, formaient le plus gros de l'ameublement. On n'avait même pas changé le papier aux fleurettes déteintes qui datait du temps où la pièce servait à loger un cocher.

— Comme vous le voyez, dit Loulou, c'est une véritable mansarde d'étudiant; mais je préfère cela pour avoir ma liberté.

— J'imagine qu'après avoir passé la journée à la Chambre de commerce, vous devez avoir envie de vous détendre, de vous isoler. Vous avez beaucoup de travail, n'est-ce pas?

— Oui, beaucoup, mais c'est intéressant. D'ailleurs, dans notre famille, on s'est toujours occupé des grands mouvements d'affaires.

Ces « grands mouvements d'affaires », comme ils avaient une autre allure que le cours des arachides de M. Asnais!

— J'avais envisagé un moment de faire l'armée,

reprit Loulou, ce qui est également dans les traditions de la famille; mais comme c'était après la guerre, cela n'avait plus d'intérêt.

Marie-Françoise l'écoutait avec une attention admirative, le regard brillant, les joues coincées entre les mâchoires.

— J'ai pensé aussi à entrer dans la grande administration, la police, par exemple.

— Ah oui? fit Marie-Françoise surprise, la police?

— Oui, ce doit être intéressant, la répression!

Il ne dit pas quelle répression; il ne le savait pas très bien lui-même. C'était le mot qui lui plaisait. Il aurait eu envie d'exercer l'autorité, n'importe quelle autorité. Malheureusement, la route des grandes carrières lui avait été coupée, faute d'avoir jamais pu parvenir au baccalauréat. Après avoir triplé la classe de seconde, il avait été renvoyé du lycée, pour nullité. Lorsqu'il parlait de la Chambre de commerce, il ne disait pas, de prime abord, qu'il y était commis-sténographe, seul emploi pour lequel il ait témoigné quelques dons.

Marie-Françoise espérait que la conversation allait prendre un tour plus sentimental; elle s'apprêtait même à ne pas repousser un baiser.

— Allons déjeuner, dit Loulou. Il est temps.

En descendant l'escalier, il lui parla de la difficulté qu'avaient les vieilles familles à entretenir leurs demeures, des impôts écrasants et de l'impossibilité de trouver du personnel pour faire tourner des maisons aussi lourdes.

Marie-Françoise songeait qu'avec l'argent de son père, on eût pu rendre tout son éclat à ce bel hôtel,

y donner des fêtes, et que c'eût été faire meilleur usage
d'une fortune de parvenu que de construire sans cesse
de nouveaux entrepôts.

*
* *

Minnie était assise à la droite du chanoine; Marie-
Françoise à sa gauche. Mlle de Mondez présidait en
face de son frère, entre son neveu Vladimir et son
petit-neveu Loulou.

— Ah! savez-vous que j'ai retrouvé mon bréviaire,
dit le chanoine en dépliant sa serviette et en la laissant
aussitôt glisser à terre. Oui... je ne te l'avais pas dit,
Aimée, pour ne pas t'inquiéter... mais je l'avais oublié,
l'autre jour, dans le train d'Arles. Eh bien, la personne
qui l'a trouvé, ayant vu mon adresse écrite à l'intérieur, me l'a expédié par poste. Décidément, les gens
sont plus honnêtes qu'on ne croit.

— Honnêtes, honnêtes... pas tous, lança Mlle de Mondez bien haut, tandis que Térésa servait le melon.
L'honnêteté est une vertu qui se fait rare de nos jours,
ne trouves-tu pas, Minnie?

— En tout cas, lorsque je la rencontre, cette vertu
m'est bien douce au cœur. Comme dit le poète : *Hoc
juvat et melli est... melli est*, répéta distinctement le
chanoine en se penchant légèrement vers sa nièce.

Mais Minnie, qui ne pensait qu'à son bracelet, ne
parut pas réagir.

Alors, se tournant vers Marie-Françoise :

— Vous avez fait du latin, Mademoiselle? demanda
le chanoine.

— Oui, Monseigneur, dit Marie-Françoise, rougissante.

— Monseigneur, monseigneur... Est-elle gentille! C'est en Italie qu'on donne si facilement du monseigneur. Ici, je suis tout bonnement monsieur le chanoine.

— Remarque, Augustin, dit Mlle de Mondez, que tu aurais très bien pu être évêque, si tu l'avais voulu.

— Oui, mais voilà, j'ai préféré l'étude... Ainsi donc, Mademoiselle, vous avez compris ce que je viens de dire : « Cela m'est agréable comme du miel. » C'est une phrase d'Horace.

La salle à manger était tendue de verdures. Au pied de troncs épais, sous des feuillages passés, des cerfs et des daims paissaient des prairies mitées. Les platanes des Allées se reflétaient dans les fenêtres et entretenaient, sur le fond herbeux de la pièce, une lumière d'aquarium.

En entrant, Marie-Françoise s'était répété le conseil de sa mère : « Surtout, ne parle pas trop! » Précaution inutile. Il ne lui fut pas possible de placer un mot. Car cette famille, qui chuchotait le reste de la journée, hurlait en se retrouvant à table, chacun y poursuivant un sujet différent. Le chanoine discourait des richesses de la syntaxe latine; Minnie annonçait qu'elle avait affaire, l'après-midi, à la bastide d'Aubagne; Loulou, pour se donner de l'importance aux yeux de Marie-Françoise, décrivait les charmes de cette bastide et donnait son point de vue sur l'exploitation des terres. Mlle de Mondez répondait au hasard à l'un ou à l'autre. Lorsque la bonne entrait, sa mine se faisait confidentielle et elle se mettait à parler en allemand.

— C'est pour ne pas être compris des domestiques, expliqua-t-elle à Marie-Françoise.

— Vous entendez l'allemand, Mademoiselle? demanda le chanoine.

Marie-Françoise, gênée, fit non de la tête.

— Il est toujours bon de savoir la langue de l'ennemi, dit Mlle de Mondez. Nous avons eu un frère tué aux Dardanelles.

Et Marie-Françoise se sentit terriblement « petite bourgeoise » de n'avoir eu, pour être élevée, qu'une gouvernante anglaise.

Comme les couverts étaient armoriés, elle ne fut pas surprise de la nappe en toile cirée; elle y vit au contraire le signe d'une simplicité de grand ton. De la vaisselle ébréchée, elle ne remarqua que le filet d'or. Elle sut à peine le goût des plats, qui étaient peu nombreux et peu copieux; les tapisseries l'émerveillaient.

Des êtres auxquels nous n'accorderions pas, en toute autre circonstance, un instant d'attention, nous deviennent soudainement les plus importants du monde s'ils doivent avoir quelque influence sur nos amours. Ainsi des Mondez pour Marie-Françoise. La vieille Aimée, à qui l'on aurait donné deux francs sur un parvis d'église, le petit chanoine qui, sans y prendre garde, s'essuyait les lèvres à sa ceinture de moire, la comtesse de Mondez, habillée comme on ne l'imaginait plus, avec ses sautoirs et ses dentelles, tous inspiraient à Marie-Françoise le plus grand respect, parce que son destin allait dépendre d'eux. « Comment me trouvent-ils? » se demandait-elle.

Le plus impressionnant, le plus inquiétant, lui semblait le comte Vladimir de Mondez. Le cheveu rare et collé en travers d'un crâne étroit, le teint jaune, la moustache tombante, le comte Vladimir, au cours des repas, avait coutume de recueillir soigneusement dans des soucoupes tout ce qui se présentait comme graines et noyaux. Il avait déjà ramassé les pépins du cantaloup. Il reprocha qu'on n'ait pas ôté les graines des aubergines avant de les faire cuire.

— Je t'en prie, Vlad, pas de discussion devant l'abbé, lui glissa sa tante qui poursuivit, conciliante : pour le dessert, il y a de la compote de cerises; je t'ai fait mettre les noyaux de côté... *Kirschen Compote*, ajouta-t-elle parce que Térésa entrait.

Alors le comte Vladimir, par un cheminement de pensée qui ne pouvait apparaître qu'à lui, s'attrista sur son héritage polonais dont les révolutions l'avaient spolié. Des milliers d'hectares aux environs de Cracovie... des forêts qu'il n'avait d'ailleurs vues qu'une fois, à l'âge de treize ans.

— Avant 1914, dit-il, on pouvait circuler à travers toute l'Europe, sauf la Russie, sans passeport.

— Nous qui sommes dans l'huile, dit Marie-Françoise, nous savons les difficultés des frontières douanières.

C'était la seule chose qu'elle eût dite, et encore ce fut trop.

Le comte Vladimir s'interrompit dans l'égrenage d'une tomate et lui glissa, sous ses longues paupières, un regard de mépris indulgent.

La comtesse de Mondez trouvait Marie-Françoise beaucoup trop jeune et beaucoup trop maquillée. « Ce serait une folie pour Loulou, se disait-elle, d'épouser cette petite qui n'a pas encore la tête sur les épaules. » Il lui fallait bien admettre qu'elle n'était pas plus

âgée lorsqu'elle avait épousé Vladimir. « Eh bien,
justement, cela n'a pas si bien réussi. » En vérité, elle
refusait l'idée d'être belle-mère, d'arriver chez les
Danselme, par exemple, accompagnée d'une personne
de vingt ans, en disant : « Vous connaissez ma bru? »
Loulou avait bien le temps.

Mlle de Mondez n'avait pas d'opinion. Du moment
que Loulou avait amené cette jeune fille, elle se sentait
plutôt favorable. D'ailleurs, les Asnais avaient de
l'argent, ce qui ne gâchait rien. Et puis, Marie-Françoise paraissait plaire à « l'abbé », qui aimait assez la
jeunesse; or, à son âge, les nouveaux auditoires ne lui
étaient plus fréquents.

Térésa traînait ses savates plus bruyamment que
d'habitude, laissait tomber sur Mlle Asnais des regards
mauvais et oubliait si régulièrement de servir Loulou,
que celui-ci finit par se fâcher.

— Eh bien! Et moi, Térésa! s'écria-t-il avec violence
alors que la compote de cerises s'en allait sans lui
avoir été présentée.

— A conscience chargée, tête oublieuse, dit Mlle de
Mondez à la cantonade.

Puis, tendant une boîte de saccharine à Marie-
Françoise, elle ajouta :

— La compote n'est pas sucrée... à cause de l'abbé.

— Et pourtant, je la trouve excellente, excellente,
ma chère sœur, s'écria le chanoine. *Hyblaeis apibus
florem depasta salicti...* C'est de Virgile, Mademoiselle,
comme vous l'avez sans doute reconnu. *Hyblaeis
apibus...*

Cette fois, Minnie adressa au chanoine un petit
battement de paupières, en signe qu'elle avait compris.

Prononcer une phrase latine dans laquelle le mot miel ou le mot abeille se trouvait inclus, était une convention établie entre eux, par laquelle l'oncle avertissait sa nièce, que le pot, dans l'armoire, touchait à sa fin. Le chanoine avait à cet usage tout un choix de citations, depuis le fameux vers « Des abeilles d'Hybla l'essaim nourri de fleurs » qu'il venait de prononcer, jusqu'à cette image hardie : *Medio flumine mella petere*, qui signifiait « chercher du miel au milieu de la rivière », autrement dit : poursuivre une chimère.

Aussitôt qu'on fut levé de table, Loulou pria qu'on l'excusât : il devait partir pour la Chambre de commerce. Il y avait justement, en ce début d'après-midi, une séance importante à laquelle il ne pouvait se dispenser d'assister. Il s'assura machinalement qu'il avait bien ses crayons dans sa poche.

— Je vous laisse avec ma famille, dit-il à Marie-Françoise.

Mais la famille, en quelques instants, se dispersa. Le comte Vladimir, sans saluer personne, remonta chez lui, au second étage, emportant ses soucoupes de pépins. Aimée dit qu'elle avait affaire au troisième étage... « pendant que Térésa est occupée à la vaisselle », ajouta-t-elle à voix basse, pour Minnie. Celle-ci, comme elle l'avait déjà annoncé pendant le repas, devait se rendre à la bastide d'Aubagne, où elle avait « des choses à voir » avec le métayer. Le chanoine la rattrapa sur le palier.

— Le pot n'est plus là, chuchota-t-il.

— Oh! pardon, mon oncle; c'est ma faute, répondit Minnie. Je m'en suis servie hier, en rentrant, pour sucrer une tisane, et comme il était vide, je l'ai jeté. J'avais oublié de vous le dire.

— Ah! bon, me voilà rassuré.

— Je vous en rapporterai un tout à l'heure, comptez sur moi.

Marie-Françoise, n'osant rompre ces apartés, demeurait plantée dans l'antichambre, à admirer la collection de chasubles anciennes et de crucifix d'ivoire sur fonds de velours.

— Vous n'êtes pas pressée? lui demanda le chanoine. Alors, venez donc bavarder quelques instants avec moi.

Et Marie-Françoise, pour son entrée chez les Mondez, eut droit, dans le bureau aux faire-part, à un tête-à-tête d'une heure et quart avec le chanoine honoraire qui, durant tout ce temps, lui lut le début de son quarante-troisième ouvrage : *Principes et méthodes de la colonisation phocéenne.*

*
* *

Le drame éclata vers la fin de l'après-midi, lorsque Térésa s'aperçut qu'on avait fouillé sa chambre, exploré son armoire, retourné le panier aux souvenirs de Corse, et même déficelé le carton à chaussures où elle enfermait ses économies. Elle dévala les deux étages et pénétra, haletante de colère, dans l'office, où Mlle de Mondez inspectait le contenu des tiroirs.

— Je voudrais bien savoir... s'écria Térésa.

— Un peu moins de bruit, ma fille, je vous prie, dit sèchement Mlle de Mondez.

— Je voudrais bien savoir, Mademoiselle, qui a visité mes affaires.

— C'est moi, Térésa, je n'ai pas l'habitude de me cacher, répondit la vieille demoiselle. Et je l'ai fait dans votre propre intérêt, avant d'avertir la police pour le bracelet de madame Minnie. Donc, si vous avez eu un geste d'égarement, il est encore temps de vous repentir.

— Ainsi, on me tient pour une voleuse?

— Plus bas, dit Mlle de Mondez en désignant la porte. L'abbé n'a pas besoin d'être mis au courant... Je ne vous accuse pas; je vous avertis seulement que nous allons appeler la police. Et il est normal, quand un objet disparaît dans une maison, qu'on commence par suspecter les domestiques.

Le teint sombre, le regard chargé de violence, une mèche défaite au bout de laquelle pendait un peigne vert, Térésa répondit :

— On me tient pour une voleuse, il n'y a pas d'autre mot. Eh bien, puisque c'est comme ça, je ne vois pas pourquoi je ne parlerais pas.

— Mais naturellement, Térésa, si vous savez quelque chose, il faut le dire.

Térésa prit son souffle, hésita une seconde :

— Au lieu de chercher le mal où il n'est pas, Mademoiselle ferait mieux de le regarder où il est... C'est déshonorée que je suis... déshonorée de quatre mois. Même que ça commence à se voir, dit-elle en arrachant son tablier en manière de preuve.

Devant cet aveu inattendu, la première réaction de Mlle de Mondez fut assez surprenante.

— Mais comment cela vous est-il arrivé, ma fille,

puisque vous n'avez pas de jour de sortie? demanda-
t-elle.

— Il n'y a pas besoin de sortir pour ça.

— Comment? Vous avez introduit un homme dans
la maison? Et c'est lui le voleur, naturellement! s'écria
Mlle de Mondez, pour qui le bracelet demeurait la
préoccupation principale.

Térésa éclata en sanglots :

— Mais non, Mademoiselle, je n'ai fait venir personne. C'est monsieur Loulou... C'est monsieur Loulou
qui m'a fait cela... Eh bien, voilà, maintenant je l'ai dit!

Depuis des semaines, dévorée d'angoisse et de malheur,
elle se taisait, de crainte d'être chassée. « Je ne peux
pas retourner chez moi dans cet état, montrer ma
honte à tout le village. Mon père ne me recevra même
pas sous son toit. » Elle avait des aubes torturées.
« Ce matin, je parlerai à Monsieur le comte; il n'y a
pas, je lui parlerai... Et puis, non, c'est plutôt à monsieur Loulou que je le dirai; après tout, c'est à lui la
faute. Mon Dieu, mais qu'est-ce que je vais devenir? »
Et la journée se passait sans qu'elle eût rien dit, et le
temps se rapprochait où l'évidence tiendrait lieu
d'aveu.

D'être accusée de vol, en un tel moment, lui avait
brûlé le sang, et fourni le courage qui lui manquait.
Maintenant, délivrée de son secret, elle pleurait à tor-
rents. Le visage verni de larmes, le nez bruyant, la
poitrine agitée de soubresauts, elle s'enfuit vers la
cuisine.

La porte du bureau s'entrouvrit :

— Qu'est-ce qu'il se passe donc? demanda doucement le chanoine, qui avait tout entendu.

— Rien, mon ami, rien du tout, répondit vivement Mlle de Mondez en étendant les mains. C'est la bonne qui a encore fait une bêtise.

Et elle referma la porte.

Mlle de Mondez, qui avait passé sa vie à inventer des drames pour se rendre importante, se trouvait totalement désemparée lorsqu'il se présentait un drame véritable. Elle se sentit vacillante, s'assit sur la chaise de l'office et pensa que la chose nécessaire en ce moment lui eût été quelques gouttes d'alcool de menthe sur un morceau de sucre, s'il y avait eu du sucre dans la maison...

Puis, se reprenant un peu, elle suivit son penchant naturel à la suspicion. Térésa pouvait très bien avoir menti et accusé Loulou d'une faute qui ne le concernait pas... Ce pauvre petit Loulou, si sérieux, qui allait si régulièrement à son travail, et qui songeait au mariage ! S'il avait des aventures... un garçon est un garçon, et il faut bien que jeunesse se passe... En tout cas, il les entourait de la plus grande discrétion et ne donnait en rien prise au scandale...

Du chantage et de la calomnie : voilà sans doute en face de quoi l'on se trouvait. D'ailleurs, une fille sans mœurs et capable de voler un bracelet pouvait aussi bien se livrer à un chantage ; tout se tenait. Et Mlle de Mondez remonta aussitôt au troisième pour interroger Mme Alexandre.

Les réponses de la concierge ôtèrent, hélas! toute illusion à Mlle de Mondez.

— Faire loger porte à porte, comme ça, un garçon jeune et une fille jeune, fallait bien que ça arrive. Moi, je voyais le manège, et puis je l'entendais aussi, la nuit, sauf votre respect. Et je dois dire que la Térésa...

— C'est elle qui a provoqué mon petit neveu, n'est-ce pas, par des manigances impudiques?

— Eh non, Mademoiselle, au contraire. Elle a fait ce qu'elle a pu pour se défendre. Mais monsieur Loulou, il était plutôt entreprenant, vous savez. Alors, la petite, d'un jour à l'autre, elle y a pris goût. A cet âge, cela se comprend. Et puis, elle est corse. Ils ont le sang chaud, là-bas.

— Et pourquoi ne m'avez-vous pas prévenue, madame Alexandre?

— Ah! ce n'était pas mon travail, Mademoiselle; j'ai assez à faire avec Monsieur le comte qui jette toujours ses poussières et ses vieux pépins dans la cour après que j'ai fini de balayer, et puis tout le tintouin que me donnent la maison, les escaliers, le courrier et tout. A chacun son affaire, pas vrai. Ç'aurait été quelqu'un d'autre que monsieur Loulou, je dis pas. Mais là...

— Eh bien, nous voilà frais, dit Mlle de Mondez.

— Ça, pour sûr, répondit Mme Alexandre avec une pointe de plaisir dans l'œil. D'autant que la Térésa, en ce moment, elle est beaucoup nerveuse. Ça ne va pas se passer tout seul, c'est moi qui vous le dis.

La comtesse Minnie rentra vers six heures et demie, le visage rose, la plume de faisan en bataille sur son chapeau de feutre. Elle avait eu le temps, en revenant d'Aubagne, de passer chez les Danselme et aussi de faire une course dont elle ne parla pas. Elle paraissait tout à fait détendue.

— Eh bien, vous savez, tante Aimée, dit-elle, je suis certaine maintenant, que j'avais mon bracelet hier soir, en rentrant. Et je commence à être de votre avis. Ce doit être Térésa.

— Ma pauvre Minnie, j'en ai de belles à t'apprendre, dit en soupirant Mlle de Mondez. Tu vas être grand-mère.

*
* *

Le comte et la comtesse de Mondez se voyaient à peine et ne se parlaient pour ainsi dire pas. Non qu'il y ait jamais eu entre eux dissension ou brouille véritable. En vingt-cinq ans de ménage, ils n'avaient pas donné le spectacle d'une seule dispute, et lors de leurs rares rencontres obligées, dans l'escalier, dans le couloir de leur appartement, ou à la table du chanoine, ils se traitaient avec une extrême urbanité. Simplement, leurs liens s'étaient dissous, et ils étaient devenus plus étrangers l'un à l'autre que s'ils ne s'étaient jamais connus.

Peu de temps après la naissance de Loulou, de constantes migraines avaient obligé la belle Minnie à faire chambre à part. Nul n'aurait pu dire si le chétif comte Vladimir en avait souffert. Puis, quelques années plus tard, Minnie s'était fait installer une salle de bains; Vlad avait conservé son cabinet de toilette, et leurs occasions de confronter leurs points de vue sur l'existence s'étaient trouvées réduites d'autant.

Minnie de Mondez était active et mondaine. Les essayages lui réclamaient un temps considérable. Sa modiste l'adorait, comme un pâtissier pourrait adorer un client qui lui commanderait tous les quinze jours une pièce montée.

Minnie représentait la famille en toute occasion
où il était nécessaire de se montrer. Elle excusait son
oncle, sa tante, son mari, et honorait vraiment, par la
majesté de son apparence, la veuve en larmes, l'oiselle
couronnée d'oranger ou le nouveau président de Tribunal pour lesquels elle s'était dérangée. Elle avait un
art à elle pour remonter les nefs d'église et parvenir
la première au goupillon ou à la sacristie.

Elle s'occupait de la bastide d'Aubagne où la famille,
à l'exception de Vladimir, allait passer les semaines
les plus chaudes de l'été. Elle était vice-présidente de
l'Œuvre de la bouchée de pain, et membre du comité
de La Cuillerée de lait. De surcroît, excellente brid-
geuse, ce qu'elle gagnait au jeu lui rapportait, bon an,
mal an, prétendait-elle, le prix de ses transports.

Tant d'énergie dépensée témoignait d'une certaine
confiance dans la vie, et s'accordait mal avec le pessi-
misme congénital et les faibles moyens physiques du
comte Vladimir.

Engagé volontaire en 1918, la guerre s'était arrêtée
avant qu'il ait eu le temps de la faire; mais il avait
contracté aux armées une pleurésie dont il estimait
ne s'être jamais complètement remis; cela lui avait
servi de leçon. Dans la victoire générale, il avait perdu
son fameux héritage polonais, et l'erreur d'avoir épousé
une femme beaucoup trop grande pour lui n'avait rien
arrangé.

Le comte de Mondez en était venu de bonne heure
à considérer que tous les efforts que nous faisons pour
autrui, charité, dévouement, simple complaisance, ne
sont en fait que les manifestations d'un égoïsme
détourné, d'un besoin d'être indispensable, admiré,

remercié, ou encore d'un calcul plus bas de réciprocité. Les exemples de cette hypocrisie de vertu ne manquaient pas autour de lui. N'ayant aucun besoin de l'estime des autres pour conserver la sienne propre, le comte de Mondez n'eût pas levé le petit doigt pour quiconque, et il faut reconnaître qu'il ne venait à l'idée de personne d'attendre de lui le moindre service.

A vivre seul, on pense beaucoup. Le comte de Mondez avait médité sur l'origine des choses et des êtres. Les principes de la vie sont contenus dans les embryons, les germes et les graines. Un pépin de pomme renferme l'énergie nécessaire à un pommier futur, et le cœur d'un melon recèle de quoi ensemencer tout un champ de Cavaillon. D'autre part, il est connu que l'alcool conserve la matière cellulaire. C'est pourquoi le comte de Mondez ramassait à table, avec tant de soin, noyaux et pépins, qu'il faisait d'abord sécher sur le rebord de sa fenêtre et qu'il introduisait ensuite, pour en retenir les « principes », dans des fioles d'alcool pur acheté chez le droguiste. Il se composait ainsi d'affreux breuvages qu'il absorbait à petites doses, alternant savamment toutes les énergies des jardins, et avec lesquels il se détruisait lentement le foie.

Lorsque sa femme fit irruption dans sa chambre, ce soir-là, il demanda, surpris :

— Que se passe-t-il, mon amie? Nous ne sommes pas à la fin du mois.

Car le comte et la comtesse de Mondez avaient tout de même une entrevue mensuelle, pour l'examen des dépenses communes. En effet, ils étaient séparés de biens. Les Mondez avaient pris cette précaution au moment du mariage, à cause de l'héritage polonais.

Chacun des époux subvenait donc à ses propres frais.
La part de Vladimir était des plus réduites. Pour
éviter de payer une femme de ménage, le comte balayait
lui-même sa chambre, située juste au-dessus du bureau
du chanoine, et attendait chaque matin que Mme Alexandre soit sortie de la cour pour jeter ses poussières par
la fenêtre.

En revanche, Minnie était fort dépensière. Elle
laissait l'électricité allumée dans sa chambre jusqu'à
une heure fort avancée de la nuit. Il fallait croire que la
succession de son père, M. d'Oléon-Vaudan, ancien juge
au Tribunal civil, s'était trouvée plus importante que
les Mondez ne s'y étaient attendus. A moins que Minnie
n'ait été une excellente femme d'affaires et n'ait su,
d'elle-même, recueillant les bons avis, faire fructifier
son portefeuille. En tout cas, Vladimir ne s'en était
jamais occupé.

— Que se passe-t-il donc, Marguerite? demanda-
t-il à nouveau, employant pour la première fois depuis
des années le véritable prénom de sa femme, afin de
signifier tout ce que cette visite avait d'insolite.

A l'heure même où la comtesse faisait à son époux
la révélation de l'inconduite de Loulou, celui-ci, ayant
terminé la sténographie d'un important rapport sur
le mouvement des agrumes, pérorait au Café Glacier,
au milieu d'un groupe de camarades. Là, il se sentait
roi. On l'appelait « de Mondez », on l'écoutait; on
n'attendait même pas toujours de lui qu'il réglât les
consommations. Parmi ces fils d'armateurs, ces jeunes
princes de l'huile, ces dauphins du savon, il faisait
figure de véritable aristocrate.

Renversé dans sa chaise devant un noilly-cassis,

balançant lentement la jambe, il parlait femmes avec une compétence respectée. Ainsi, dans le moment, il avait pour maîtresse une Corse, une fille superbe, qui s'était fixée à Marseille par amour de lui. Elle était éprise à ce point que la nuit, parfois, elle se mettait à sangloter, sans raison.

— Il faut bien comprendre qu'elles n'ont pas les nerfs faits de la même manière que nous... Et puis, elle doit sentir, instinctivement, que cela ne durera pas toujours, que c'est la fin.

Car Loulou commençait à être lassé de celle-là comme des autres. Il envisageait sérieusement de se marier.

— Nous sommes bien forcés d'en arriver là, tôt ou tard. Et puis, dans nos familles, nous avons un nom à léguer, des traditions à maintenir... Et il est connu que les meilleurs maris sont ceux qui ont eu la jeunesse la plus agitée.

Comme l'heure du dîner approchait, il partit vers les Allées, fort content de soi, la tête haute et les pieds en canard. Il trouva M. de Mondez qui l'attendait sous les platanes et le regardait avec un grand air de mépris.

⁎

Toute la semaine suivante, l'atmosphère fut des plus pénibles à l'hôtel de Mondez. Le drame était là, présent, évident, installé, sous-entendu dans la moindre parole, entretenu par chaque regard et chaque soupir. On chuchotait dans les coins de porte; on échangeait de tristes clignements de paupières. Or, personne ne trouvait de solution, ni n'osait en proposer. Il y avait un enfant dans le sein de la bonne, mais on eût dit plutôt que la maison abritait un mort dont les Pompes funèbres refusaient de se charger.

Loulou n'avait pas cherché à nier; d'ailleurs, comment eût-il pu le faire? Il avait simplement battu les bras de chaque côté du corps et tenté de rejeter la responsabilité sur autrui. Térésa, après tout, était aussi coupable que lui. Et puis, sa famille ne lui donnant pas d'argent, ce n'était pas ce qu'il gagnait à la Chambre de commerce qui pouvait lui permettre d'entretenir une liaison décente! D'ailleurs, semblable aventure lui serait arrivée avec une « cocotte », qu'on aurait eu sans doute de pires ennuis.

— Tu n'avais qu'à faire comme tout le monde et avoir une femme mariée, lui répondit sa mère.

Quant au comte de Mondez, il avait déclaré qu'en d'autres temps, Loulou eût mérité d'être envoyé à Madagascar ou, à la rigueur, au Cameroun... et puis, bon voyage.

— Au Cameroun, ce pauvre petit! s'indigna Mlle de Mondez. Vlad, tu n'as vraiment pas de cœur.

— Je n'ai surtout pas les moyens de lui offrir le transport, ni de quoi l'établir planteur, répondit Vladimir.

Maintenant qu'elle avait avoué son malheur, Térésa n'avait plus de retenue. Elle balayait l'antichambre au milieu de l'après-midi, cassait une assiette par jour et passait des plats brûlés en reniflant ses larmes.

— Mais qu'est-ce qu'elle a donc, cette pauvre Térésa, à tout le temps pleurer? demandait le chanoine d'un air innocent.

Il se sentait tenu de feindre une ignorance à laquelle sa sœur était seule à croire.

— Vous imaginez, un scandale pareil, dans la maison d'un ecclésiastique! gémissait Mlle de Mondez.

Les malheurs arrivent en série. Mlle de Mondez, ayant reçu les cinq mille francs d'un de ses loyers, avait plié le billet « en six doubles » dans le creux de sa main, pour que personne ne sût qu'elle avait touché de l'argent. Elle s'était promenée ainsi toute une matinée, et puis le billet lui avait fui de la paume et elle ne pouvait pas le retrouver. Encore Térésa, sans doute... comme pour le bracelet dont, maintenant, on n'osait plus parler.

— Elle en profite, la mâtine, elle nous tient, disait Mlle de Mondez.

Mme Alexandre ne se retenait pas de verser du vinaigre sur la plaie :

— Ces Corses, vous savez bien comment ils sont. Tous des têtes à l'envers, des extrémistes. Il ne faudrait pas que la Térésa, un beau matin, elle s'aille jeter par la fenêtre, dans l'état où elle est!...

— Eh bien, répondait la vieille demoiselle, il ne nous manquerait plus que cela.

Les commérages, à Marseille, se font toujours par les cours, et le quartier commençait à avoir vent de l'affaire. Le malheur des Mondez, remontant les escaliers, s'insinuant dans les cuisines, se répandait lentement dans les demeures voisines.

Une chose était sûre : Térésa ne voulait pas repartir pour son pays, en aucun cas, à aucun prix. De prix, d'ailleurs, il n'en était pas question; le comte Vladimir avait déclaré qu'il ne débourserait pas un sou, et là-dessus on pouvait lui faire confiance. Mlle de Mondez disait bien qu'elle se serait résignée à vendre un meuble ou un crucifix. Mais le moyen de laisser sortir un objet de la maison sans que « l'abbé » s'en aperçût? Il n'y fallait pas songer.

— Et toi, Minnie? C'est ton fils, après tout!

Minnie avait eu un geste vague. Elle avait parlé à Térésa et recueilli l'impression que cette dernière ne songeait pas à retirer un profit matériel de sa situation.

— Forcément, avec tout ce qu'elle nous a volé! répondit Mlle de Mondez. Mais qu'est-ce qu'elle veut, exactement? C'est effrayant. Juste au moment où ce pauvre petit Loulou pensait à se marier, où il avait trouvé un parti très présentable. Je me suis renseignée. Ces Asnais ont beaucoup d'argent... Toute la ville va bientôt être au courant. Comment veux-tu, dans ces conditions...

— En effet, ce serait monstrueux, dit Minnie, songeuse, sans qu'on pût bien saisir ce qu'elle entendait par là.

La loyauté de la comtesse de Mondez avait des cheminements imprévus.

*
* *

Depuis son déjeuner aux Allées, Marie-Françoise vivait dans l'exaltation. Elle avait ceci de touchant qu'elle ne cachait pas ses enthousiasmes. A l'entendre, l'hôtel de Mondez était le dernier bastion de la pensée aristocratique, et les Mondez eux-mêmes les gens les plus remarquables qu'elle ait jamais rencontrés. La maison, meublée entièrement « en moyen âge », avait-elle raconté en rentrant, contenait des collections de musée. Loulou de Mondez vivait dans une véritable cellule de moine. A table, la conversation se déroulait en latin ou en allemand, de la manière la plus naturelle du monde.

Le comte Vladimir descendait certainement des rois de Pologne. Quant au chanoine, qui avait admis la jeune fille à l'honneur d'un long entretien littéraire, il était l'un des premiers écrivains de France, dans le genre sérieux, bien entendu; il était même surprenant que cela ne se sût pas davantage.

Il semblait qu'en ce seul repas, Marie-Françoise eût plus appris qu'en dix-neuf ans d'éducation bourgeoise, au sein de sa famille, rue Paradis.

— Chez les Mondez, les serviettes ne sont pas pliées comme ça... Chez les Mondez, on prend le café dans la salle à manger... Chez les Mondez...

M. Asnais, le père, commençait à en avoir les oreilles cassées.

— Eh bien, si tout est tellement formidable chez les Mondez, va donc y vivre, ma petite enfant!

— Eh mais, c'est que... justement...

Et Marie-Françoise pressait sa mère d'inviter Loulou. C'était la moindre politesse. Mais Marie-Françoise souhaitait que le déjeuner eût lieu au restaurant.

— C'est entendu, nous allons le faire; mais, n'ayons pas l'air de nous précipiter, répondait Mme Asnais.

Et miss Nell secouait la tête d'un air attendri.

En même temps, quelques modifications s'étaient opérées dans le comportement de Marie-Françoise. Il lui avait paru indispensable d'aller à la messe, le dimanche matin, chose qu'elle avait négligé de faire depuis environ le temps de sa confirmation. Le cinéma avait cessé de l'intéresser; elle passait ses après-midi à la Bibliothèque municipale, penchée sur les tomes in-quarto du Trésor des Églises de Provence.

— Vous préparez peut-être une thèse, Mademoiselle,

lui avait demandé l'employé. C'est un livre qu'on ne me demande pas souvent.

Aussi, lorsqu'une fin de matinée le téléphone sonna chez les Asnais et que la comtesse de Mondez invita Marie-Françoise à venir prendre le thé avec elle, ce jour même, chez Castelmuro, la jeune fille se mit à danser toute seule à travers l'appartement. Il n'y avait plus de doutes ; c'était l'entrevue nécessaire, décisive, de future belle-mère à future belle-fille, avant la demande officielle.

— C'est bien joli, tout cela, c'est bien joli, bougonna M. Asnais entre ses grosses lèvres ; mais moi, il faudra aussi que je parle sérieusement à ce jeune homme ; et je te préviens, je regarderai le contrat de près.

Dans le fond, il était assez flatté, lui dont le grand-père ramassait les olives, que sa fille fût si vivement recherchée par des gens qui, s'il fallait en croire Marie-Françoise, avaient perdu depuis six siècles l'habitude de se baisser pour boucler leurs souliers.

Marie-Françoise réemprunta à sa mère le collier de petites perles et piqua de nouveau, à sa boutonnière, la vilaine bête à bon Dieu de miss Nell. Elle portait sur le visage l'éclat de la certitude. La joie lui gonflait les joues ; et l'on eût dit qu'elle respirait pour toute la rue.

*
* *

L'entrée, chez Castelmuro, de la belle comtesse de Mondez, coiffée en bersagliere, causait toujours quelque émoi aux sœurs Cadet qui dirigeaient cette élégante pâtisserie. L'une des demoiselles, la plus âgée, se sentait tenue de descendre de son comptoir et de déplacer ses rondeurs jusqu'à la table où venait de s'asseoir cette cliente de marque.

Mlle Cadet, l'aînée, présentait ses civilités, s'enquérait de la santé de M. le comte, des travaux de M. le chanoine, de la vaillance de Mlle Aimée, puis elle retournait à sa caisse d'où elle surveillait depuis vingt ans les mouvements de la bonne société marseillaise.

Vêtues en dames d'œuvres, les demoiselles Cadet égayaient leurs robes noires des quelques bijoux de verroterie qui, sur elles, prenaient une apparence de confiserie; elles semblaient se parer de dragées et de pralines, et tout en elles, une roseur de teint qui n'était plus de leur âge, leurs attitudes pour dessus de boîte à bonbons, leur manière même de s'exprimer, avait une qualité sucrée.

La curiosité de la grande province, l'inaction des femmes, la goinfrerie des enfants se concentraient chaque jour, après cinq heures, entre les lambris Louis XVI et les guirlandes en stuc de Castelmuro. Des glaces reflétaient les allées et venues, et servaient à épier autrui sans impolitesse. Les conversations étaient réservées. Un personnel averti circulait entre les tables, servant des liquides sirupeux et chargés en crème. A chaque minute, une femme se levait, une assiette à la main, et se dirigeait vers un dressoir aux pieds tors où s'amoncelaient les pâtisseries. On eût dit une poule allant au grain. Elle caquetait un instant, saluait à la ronde, puis revenait, chargée, gloussante et satisfaite.

Marie-Françoise piqua droit sur le guéridon où la comtesse de Mondez, une paille à la bouche et penchée au-dessus d'un café liégeois, lui faisait signe.

— Fraîche comme une houppette, cette petite Asnais, murmura l'aînée des Cadet.

— Ce n'est pas un hasard, ce thé avec la comtesse, chez nous, répondit la plus jeune. Il y aurait du mariage là-dessous que cela ne m'étonnerait pas.

— Espérons que nous ferons le buffet.

Marie-Françoise présenta à Minnie des excuses confuses.

— Je ne croyais pas que j'étais en retard.

— Mais vous ne l'êtes pas du tout, ma chère enfant; c'est moi qui suis toujours en avance.

La conversation erra d'abord un peu sur la mode. La comtesse se prononçait sans appel pour les souliers à bouts ronds contre les bouts pointus.

— Il faut laisser cela aux femmes de chambre.

Comme Marie-Françoise portait des bouts pointus, elle rentra les pieds sous sa chaise.

Quant aux ongles, « pour les femmes d'un certain monde », il ne convenait d'y mettre que du vernis incolore. Et Marie-Françoise glissa les doigts sous les bords de sa soucoupe.

Puis brusquement, la comtesse engagea son attaque.

— Je n'ai pas été sans me rendre compte, ma chère enfant, que vous portiez un certain intérêt à mon fils, et que lui-même, d'autre part, en éprouvait un très vif pour vous.

Marie-Françoise devint écarlate. Si le lieu s'y fût mieux prêté, elle eût sauté au cou de Mme de Mondez. « Voilà, Loulou a chargé sa mère de me dire ce qu'il n'osait pas m'annoncer lui-même », pensait-elle.

— Seulement, mon enfant, les hommes sont les hommes, vous ne l'ignorez pas, reprit la comtesse, qui

coupa sa phrase d'un profond soupir. Il est des choses
dont je crois de mon devoir de vous avertir.

Ah! comme la comtesse de Mondez s'y prit avec tact
pour accomplir ce devoir! Quelle délicatesse elle mit à
dessiller le regard de cette innocente jeune fille! Quel
héroïsme il lui fallut pour révéler à Marie-Françoise
le drame qui bouleversait la famille Mondez et comme
elle eût voulu que le secret de cette honte n'eût jamais
eu à passer sa bouche! Quel calvaire, pour une mère,
d'être obligée à une telle démarche! Mais, en conscience,
pouvait-elle se taire? Elle éprouvait trop d'estime pour
Marie-Françoise; elle ne se sentait pas le droit de la
laisser s'enfoncer vers des illusions sans issue. Elle ne
voulait pas que Marie-Françoise, faute d'avoir été avertie,
se trouvât dans une situation ridicule ou scandaleuse.
Moralement, elle se sentait obligée... Oui, Loulou allait
avoir un enfant... oui, la cuisinière, celle que Marie-
Françoise avait vue servir à table... un moment d'égarement, mais de ces égarements, hélas, qui gâchent toute
une vie! Minnie espérait que Marie-Françoise saurait
apprécier la confiance qu'elle lui témoignait et garderait
un silence absolu...

— Que voulez-vous, ma pauvre enfant, les hommes
sont les hommes, répéta-t-elle en manière de conclusion.

Elle était si occupée à s'écouter parler, elle admirait
si fort sa grandeur d'âme et ses talents de diplomatie
qu'elle ne s'aperçut des résultats de son travail qu'à
l'instant où la petite Asnais, plus blanche que le nappe-
ron, parut près de s'évanouir.

Minnie la força d'avaler un verre d'eau fraîche tout
en disant :

— Comment? C'était donc si sérieux, déjà, ces pro-

jets? Alors comme j'ai bien fait! Tôt ou tard, vous
auriez dû l'apprendre. C'est comme en chirurgie : plus
on retarde une opération, plus on en souffre.

Elle regarda encore une fois la jeune fille bien attentivement. « Non, décidément, pensa-t-elle, je n'aurais pas
pu arriver avec elle chez les Danselme ou autres, en
disant : Vous connaissez ma bru? »

Entre le malheur d'être grand-mère et le malheur
d'être belle-mère, elle avait choisi et, puisque l'un ne se
pouvait éviter, au moins s'en servait-elle pour annihiler
l'autre. D'abord, un enfant illégitime, on arrive à le
cacher; une belle-fille, pas; et il existe certains moments
dans la vie d'une femme où les concurrences sont into-
lérables.

Marie-Françoise parvint à se dominer jusqu'au seuil
de la pâtisserie où la comtesse de Mondez l'embrassa,
presque maternellement, sur les deux joues, à cause du
regard inquiet des sœurs Cadet. Mais une fois seule,
sur le trottoir, Marie-Françoise sentit qu'elle ne pouvait
pas rentrer chez elle dans l'état où elle se trouvait.
Répondre aux questions, expliquer ce qui venait de se
passer... Personne ne pouvait comprendre, et surtout pas
sa famille. Son père aurait beau jeu d'ironiser sur sa
déception. Sa vie était brisée, à jamais. On ne se relève
pas d'une humiliation aussi lourde, d'une déception
aussi tragique... Au lieu de remonter la rue Paradis, elle
alla noyer son désarroi parmi la foule de la Canebière.

Le sort voulut que Loulou, qui sortait à cette heure de la
Chambre de commerce et se dirigeait, comme à l'habitude, vers le Café Glacier, l'aperçût; elle marchait d'un
pas incertain, les yeux au sol et le mouchoir sous le nez.

— Eh bien, que se passe-t-il, Marie-Françoise?

— Ah! vous, jamais... Je ne veux plus jamais vous revoir, s'écria Marie-Françoise en étendant la main. Votre mère m'a tout appris... C'est trop affreux... Votre enfant!...

— Quoi, ma mère vous a dit... Mais de quoi est-elle allée se mêler?

— Ah! pas un mot contre votre mère. Elle a été magnifique... un sens du devoir moral! C'est vous qui êtes un monstre!

Un mauvais regard passa dans les yeux gris de Loulou, et il rejeta nerveusement ses cheveux en arrière.

— Le sens du devoir moral! répéta-t-il. Eh bien, elle me le paiera, la garce!

Ce mot, très éloigné de l'idée qu'elle se faisait du langage Mondez, surtout venant d'un fils parlant de sa mère, surprit assez Marie-Françoise. Mais elle n'en était plus à une surprise près, et il fallait bien s'attendre à ce que Loulou fût un garçon capable de tout.

*
* *

Le comte Vladimir avait terminé son ménage. Appuyé à la fenêtre, par-dessus ses pépins au séchage, il attendait depuis un 'quart d'heure, une pelle à ordures en main, que Mme Alexandre fût sortie de la cour, pour y lancer ses balayures.

Son fils le surprit dans cette attitude. Le comte se retourna : décidément, on entrait beaucoup dans sa chambre, ces temps-ci.

Loulou tenait une grande boîte à chocolats, assez

défraîchie, provenant de la maison Castelmuro, et entourée d'une faveur rose souvent nouée.

— Maman a torpillé mon mariage, dit-il. Elle est allée tout raconter à Mlle Asnais, au nom de la morale, paraît-il. Alors, en ce qui concerne la morale de maman, je t'ai apporté quelque chose qui peut, peut-être, t'intéresser.

Le comte Vladimir haussa les sourcils et ses longues paupières se relevèrent un peu.

— Où as-tu pris cela? demanda-t-il.

— Dans le secrétaire de maman.

— Comment l'as-tu ouvert?

— C'est une serrure ordinaire. Avec un canif, c'est facile.

Vladimir observa un instant le garçon. Ce crâne plat, cette bouche aux coins tombants, ce visage étroit et sans jeunesse, c'était son fils. Lorsqu'il arrivait au comte Vladimir de contempler Loulou, il lui était toujours désagréable de constater à quel point ce dernier lui ressemblait.

— Entre hommes, il faut se soutenir, dit Loulou, gêné par ce regard.

Il posa la boîte à chocolats sur la table et disparut.

Vladimir resta songeur un moment, dénoua le ruban rose, ôta le couvercle aux dorures éteintes; des lettres s'échappèrent et tombèrent sur le tapis. Vladimir n'eut même pas à chercher une signature pour découvrir l'origine de cette correspondance. M. Dudoy de Saint-Flon avait la faiblesse d'aimer sa propre image, et l'ancienne boîte à chocolats contenait presque autant de photographies que de missives : Jacques de Saint-Flon remettant une coupe à un concours hippique, inaugurant un champ de courses, le beau Saint-Flon à la chasse, à la barre d'un skif, arbitrant des régates, Saint-Flon assistant à un match de tennis, ou faisant les honneurs du Cercle des flots bleus dont il était l'actif président. En maillot de bain, en pantalon blanc, en canotier, en melon, en culottes de cheval, raquette en main, sourire aux lèvres, avec des cheveux de jais sur les clichés les plus anciens, des tempes argentées sur les plus récents... Il y avait dix-huit ans que cela durait.

La lecture des lettres prouva très rapidement au comte Vladimir qu'il ne s'agissait pas d'un amour sans retour, d'une passion inassouvie, d'une de ces admirations désespérées, qui se sont heurtées tout au long d'une vie aux interdits farouches de la vertu et dont les femmes qui en furent l'objet gardent les témoignages pour en nourrir, certains soirs, leurs nostalgies. Au contraire, il semblait bien que les entreprises de M. de Saint-Flon aient été rapidement couronnées de succès, qu'on se soit assez vite accoutumée à ses bras, et que ses déclarations enflammées aient reçu leur pesant d'abandon, d'ardeurs et de délires.

Le style épistolaire de M. de Saint-Flon ne s'embarrassait pas d'un excès de pudeur. Le comte Vladimir put ainsi apprendre, sur les goûts amoureux de sa femme, sur ses audaces, sur la violence de ses appétits et sa générosité à les assouvir, des choses qu'il ne soupçonnait point. Il avait toujours considéré cette immense créature blonde comme réservée et plutôt froide de sens. Comme on se trompe, quand on est trompé! Il fallait reconnaître que M. de Saint-Flon, à en croire ce qu'il écrivait de lui-même sans l'ombre de modestie, devait être un fier luron et champion dans ce sport comme dans les autres. Minnie, depuis dix-huit ans, était l'idéale partenaire de ces tournois intimes.

Ces lettres révélèrent au petit comte Vladimir certains aspects de l'amour, et des ordres de grandeur et de fréquence qui n'avaient jamais traversé son imagination.

Ce fut là sa réelle surprise, car, sur le fond même de l'affaire, à découvrir que depuis si longtemps il était un mari bafoué, il n'éprouva pas de colère, ni même d'étonnement.

En vérité, il *savait*, de toujours. Mais il avait fermé obstinément les yeux, écarté le soupçon, évité la moindre question, exclu tout contrôle, pour pouvoir vivre dans la sécurité de l'ignorance. Il savait, mais il ne voulait pas savoir; la certitude sans preuve n'est jamais une certitude absolue.

Et voilà que, maintenant, on lui ouvrait de force, méchamment, les paupières; voilà que les migraines vespérales de Minnie, qui avaient conduit celle-ci vers le lit, puis la chambre à part, recevaient leur explication; voilà que toute la fausse agitation de sa femme, les dix essayages pour un même chapeau, les comités de La Cuillerée de lait, les indispensables visites à la bastide d'Aubagne, les enterrements qui n'en finissaient plus, les bridges chez les Danselme qui se terminaient toujours plus tard que les autres bridges, tout cela trouvait sa raison et son emploi. Chaque déplacement de la comtesse passait par le boulevard du Prado et par la grande villa, mi-chalet normand, mi-château de la Loire, au fond d'un jardin de magnolias, où M. de Saint-Flon vivait en célibataire élégant. Et l'argent que Minnie dépensait devait également avoir là-bas sa source...

« J'ai été un homme inutile, pensait Vladimir, et en plus j'ai été un mari trompé. Je croyais maintenir une certaine façade ; et cette façade était lézardée de ridicule... Mais alors, pourquoi a-t-elle voulu m'épouser ? »

Car lorsque la superbe M\ulle\ d'Oléon-Vaudan, fille d'un petit magistrat sans fortune, s'était jetée à sa tête, lorsqu'elle lui avait témoigné une admiration sans mesure, une dévotion inexplicable, Vladimir, stupéfait, avait tout mis sur le compte de l'amour. Maintenant qu'il était à l'avant-veille d'être un vieil homme, il comprenait.

« Elle épousait une couronne, un titre, une maison sur les Allées, qui lui permettaient de pénétrer dans une certaine société. Évidemment, si elle n'avait pas été la comtesse de Mondez, elle aurait eu peu de chances de devenir la maîtresse du beau baron de Saint-Flon. Voilà à quoi ça lui a servi... Et encore, d'être mariée à un pou comme moi, c'est elle que les gens doivent plaindre !... Saint-Flon, toujours si courtois, qui traverse la rue pour me serrer la main, qui m'invite régulièrement à des réceptions où je ne vais jamais, qui m'adresse ses vœux à chaque nouvelle année... Il peut ; je lui ai fait une belle vie. »

Vladimir remit dans la boîte les lettres ardentes et les photographies qui venaient de donner un visage, une moustache, des épaules, des mains, une réalité à son infortune. Il renoua posément la faveur rose.

« Si encore Minnie avait commencé trois ou quatre ans plus tôt, j'aurais la consolation de penser que ce petit saligaud de Loulou n'est pas de moi. Hélas ! »

Il boutonna ses manchettes, un peu salies par les soins de ménage, passa son veston et mit son chapeau de feutre noir. Au moment de sortir, il s'aperçut qu'il avait oublié de vider la pelle à ordures et jeta le contenu par la fenêtre d'un geste indifférent. Des hurlements s'élevèrent; Mme Alexandre avait tout reçu sur le dos. Elle criait encore, poussant de grosses injures, lorsque le comte Vladimir traversa le vestibule d'entrée pour aller vers le portail.

— Eh bien oui, justement, je vous emmerde, madame Alexandre, dit-il de sa petite voix calme, tout en passant.

La concierge en resta pantoise; de mémoire humaine, on n'avait jamais entendu M. le comte utiliser un tel mot.

Il n'était pas rentré lorsqu'on se mit à table, chez le chanoine. Il arriva avec dix minutes de retard, portant d'une main une immense plante verte, trop lourde pour lui, et de l'autre la boîte de Castelmuro.

— Mais comment, Vlad? Ce n'est la fête de personne aujourd'hui? s'étonna Mlle de Mondez.

Vladimir posa la plante verte juste au centre de la table; les feuilles, touffues comme un buisson, rejoignaient la suspension de bronze entourée d'un tulle.

— De cette manière, dit-il, je ne verrai plus du tout ma femme, et son visage ne me gênera pas dans les seules circonstances où j'avais encore l'occasion de le voir.

Puis, tendant à Loulou la boîte à chocolats, il ajouta :

— Tu rendras ceci à ta mère, je crois que ça lui appartient.

— Vlad! Faire cela devant l'abbé! Tu es devenu fou! s'écria Mlle de Mondez, tandis que Minnie défaillait sur sa chaise et semblait tomber en pâmoison.

La vieille demoiselle courut chercher son flacon de

sels anglais, qu'elle voulut à toutes forces faire respirer à son frère.

— Occupe-toi donc de ta nièce; elle paraît en avoir davantage besoin que moi! dit le chanoine en se levant et en lançant sa serviette, avec colère, au milieu de la table.

Puis, il alla s'enfermer dans son cabinet; il déjeunerait de quelques cuillerées de miel.

Sans s'inquiéter de personne, le comte Vladimir commençait à gratter les pépins du melon.

*
* *

Huit jours passèrent encore. Les choses n'allaient jamais vite à l'hôtel de Mondez. On ne se parlait plus. Minnie ne parlait plus à son fils; Vlad ne parlait plus à Minnie; Aimée ne parlait plus ni à Minnie ni à Vlad. Et le chanoine, pour ne pas se compromettre, n'adressait la parole à personne.

Seule, Térésa disait de temps en temps à Mlle de Mondez, d'une voix pleurarde :

— Alors, Mademoiselle, qu'est-ce que je vais faire?

— Ah! vous, je vous en prie, ma fille; d'abord, tout cela, c'est votre faute.

— Mais enfin, Mademoiselle, c'est tout de même moi qui suis enceinte!

Un beau matin, Vladimir entra dans le bureau du chanoine pour emprunter à celui-ci une feuille de papier.

Le chanoine arrivait au dernier chapitre de son ouvrage sur la colonisation phocéenne. En dépit des drames familiaux, il était venu à bout de ce travail plus rapidement qu'il n'avait escompté. On aurait même cru que l'atmosphère troublée de la maison lui avait stimulé l'esprit.

« *Donc, comme nous l'avons vu plus haut, les Phocéens établissaient des comptoirs marchands le long des côtes,* venait-il d'écrire, *mais ils ne se souciaient pas de conquérir le pays avoisinant ni d'imposer une administration tyrannique aux peuples avec lesquels ils commerçaient. Leurs descendants marseillais, qui, environ l'an 1650, fondèrent la Compagnie d'Afrique, aînée de la Compagnie des Indes, continuaient d'obéir à ces sages principes...* »

« Et voilà pour les Anglais; pan! je leur ai bien envoyé cela! » se disait-il, sans songer qu'il était douteux qu'un lecteur britannique tombât jamais sur son opuscule.

L'emprunt de la feuille de papier ne devait être qu'un prétexte, car Vlad restait là. S'apercevant de sa présence prolongée, le chanoine posa sa plume. Vlad avait évidemment quelque chose à lui dire, mais les mots ne venaient pas. Plusieurs minutes s'écoulèrent. Vlad, enfin, se décida.

— Ce serait une erreur, n'est-ce pas, mon oncle, de divorcer à mon âge? demanda-t-il.

Le chanoine prit son temps pour peser pleinement les éléments de sa réponse.

— Certainement, mon ami, certainement, dit-il. Non seulement du point de vue chrétien, qui devrait seul m'importer. Si ton épouse, ainsi que je crains de le deviner, t'a été infidèle, ce n'est pas une raison pour toi d'enfreindre la loi de Dieu, et de faire de son péché un exemple de scandale... Je cherche à me représenter tes sentiments, pour autant que je puisse. Oh! je comprends; pardonner à la femme adultère, c'est bien joli; mais

Notre-Seigneur n'était pas le mari... Demande-toi seulement à quoi le divorce t'avancerait? Tu as plus de cinquante ans. Ta vie est jouée.

— Et mal jouée, dit Vlad. En fait, j'ai eu tort de me marier... J'étais le dernier des Mondez. Je voulais faire souche. Pour le beau résultat!... J'ai vécu sans joie dans l'ombre de cette géante...

Le chanoine s'était mis à marcher à travers le bureau. De ses minuscules bottines, un peu retroussées du bout, il écrasait quelques faire-part épandus, et il agitait en roue de dindon les pans de sa soutane, ce qui faisait voleter les rares cheveux blancs qui restaient à l'arrière de son petit crâne plissé.

— C'est comme moi, vois-tu, c'est comme moi, répondit-il. J'ai eu tort, au fond, de me mettre en ménage avec ma sœur. Comme elle a deux ans de plus que moi, à soixante et onze ans, elle me traite encore en garçonnet. Et puis, c'est une bigote... J'ai tout accepté, toujours, je l'ai laissée faire, pour avoir la paix. Elle m'a fait manquer ma vie... Et puis, d'abord, je suis entré trop tôt dans les ordres. J'aurais dû connaître un peu le monde. Je ne sais rien des problèmes qui se posent à mon prochain et je ne peux être utile à personne... Tiens, pas plus tard que ce matin, j'allais dire ma messe aux Réformés. Une dame s'approche et me chuchote quelque chose à l'oreille. Je ne fais pas attention; je lui réponds : « Je ne suis pas desservant dans cette église, Madame; pour vous confesser, adressez-vous à la sacristie. » Elle me dit : « Mais non, Monsieur l'abbé, ce n'est pas pour me confesser; c'est votre ceinture qui traîne par terre. » Tu vois, ce sont les autres, toujours, qui me rendent service; et moi, qu'est-ce que je fais pour eux?

Il se tut et, pour plusieurs minutes, le silence ne fut troublé que par le froissement de la soutane et par le petit bruit que produisait Vladimir en grattant de l'ongle une tache sur son pantalon.

— Les bâtards ne sont pas rejetés des familles polonaises, dit enfin Vladimir.

— Eh oui, je sais bien, répondit le chanoine. Mais nous ne pouvons tout de même pas marier Loulou avec la bonne.

— C'est pourtant tout ce qu'il mériterait.

— Le sacrement de mariage ne s'inflige pas comme un châtiment, dit le chanoine; en voulant faire triompher le bien, nous ne ferions qu'ajouter au mal. J'y ai beaucoup réfléchi ces jours-ci, en m'efforçant de faire abstraction des préjugés bourgeois pour ne considérer que les impératifs de la religion... Ah! évidemment, si Loulou aimait cette pauvre fille, nous n'aurions qu'à l'encourager à se bien conduire. Mais il n'en donne pas le moindre signe. Elle non plus, d'ailleurs. J'ai tâché de les faire parler un peu... Sans le dire à ta tante, bien sûr... Ils me paraissent avoir cédé l'un et l'autre aux tentations d'une promiscuité malencontreuse. Quand l'amour n'est pas là pour pallier les inégalités sociales, quelle chance y a-t-il de voir se constituer un ménage chrétien, dans de telles conditions? Trop souvent, les mariages de régularisation se terminent par un divorce, où l'enfant, de toute manière, est abandonné de son père. L'Église n'encourage pas ces unions forcées, dont on doit se demander si l'engagement, pris en quelque sorte sous la contrainte, est bien valable... Il se peut que j'écrive un petit ouvrage sur la question, un de ces jours...

Le chanoine passa devant la fenêtre.

— Ah! il est midi, dit-il machinalement en jetant un regard, par-delà les courettes, vers le balcon du boulevard Dugommier.

— Tout de même, cet enfant, qu'on le veuille ou non, ce sera un Mondez et, peut-être, le seul que nous aurons, reprit Vladimir.

— Sans épouser la mère, Loulou peut le reconnaître.

— Comment l'élèvera-t-il? Caché dans une soupente, sans jamais le voir et ce sera encore moi qui devrai payer la pension... Quite à faire cette dépense, j'avais songé un moment...

— A quoi avais-tu songé? demanda le chanoine.

— Malheureusement, c'est impossible. J'avais songé à l'adopter, moi, et à le faire grandir ici. Je me suis renseigné; du moment qu'on a déjà un enfant, la loi s'y oppose.

Ils se turent à nouveau. Vladimir, le regard fixé sur le tapis, mordillait la pointe de sa moustache.

— Et est-il impossible, mon oncle, reprit-il pensivement, est-il impossible pour un ecclésiastique d'adopter un enfant?

— Hélas oui, mon cher Vlad, dit le chanoine. J'avais également envisagé cette solution, figure-toi. J'en avais même parlé à l'évêque.

— Vraiment?

— Mais oui. Seulement les règles de l'Église, comme bien je le prévoyais, s'y opposent. L'adoption est considérée, en quelque sorte, comme une substitution au lien de paternité naturelle, qui est incompatible avec le sacerdoce. Les Italiens disent même, en manière d'ironie : « Un prêtre est un homme que tout le monde appelle : *mon père*, sauf ses propres enfants qui doivent lui dire : *mon oncle.* »

— Alors, je ne vois pas de solution, murmura Vladimir.

Et soudain, au même instant, la même petite lumière leur brilla dans l'œil. Ils venaient d'entrevoir, ensemble, le moyen de prendre leur revanche, d'un seul coup, sur toutes les hypocrisies, les mensonges et la morale de convention dans lesquels on avait ficelé leur vie. Une énorme farce ; une bombe qu'ils allaient faire éclater au milieu de la famille.

Ils parlèrent encore un quart d'heure, jusqu'à ce que Térésa vînt annoncer le déjeuner. Ils pénétrèrent dans la salle à manger, la tête haute, forts de leur alliance et de leur décision.

Vladimir s'assit derrière sa plante verte. Le chanoine déplia sa serviette, toussa pour s'éclaircir la voix, et déclara d'un ton qui n'admettait pas la discussion :

— Vlad et moi, nous venons de parler longuement, et nous nous sommes trouvés entièrement d'accord. Nous avons résolu que ma sœur Aimée devait adopter l'enfant de Térésa.

**
* **

Tout ce que put dire Aimée, tout ce que put dire Minnie, demeura vain. Vladimir menaça de demander le divorce et le chanoine de quitter la maison et d'exiger la liquidation de l'indivis, si l'on n'agissait pas selon leur volonté.

— Mais l'enfant, où sera-t-il élevé? demanda Minnie.

— Mais ici, naturellement, ma chère amie, répondit

Vlad. Ce sera ton petit-fils, en admettant, comme je l'espère, que ce soit un garçon... qui légalement d'ailleurs sera notre cousin.

— Et l'héritage de tante Aimée, alors?

— Il sautera par-dessus la tête de Loulou, forcément. Et je pense que le chanoine prendra également des dispositions qui ne seront guère à son avantage.

— Je dois avouer que c'est bien fait pour Loulou, répondit Minnie, qui gardait à son fils une solide rancune. Et Térésa?

— Il n'est pas question de séparer une mère de son enfant. Elle demeurera avec nous aussi longtemps qu'il lui plaira.

S'obstiner n'eût servi à rien qu'à déclencher de plus grands scandales, et Minnie fut forcée de s'incliner devant son mari, comme Aimée le fit devant son frère.

— A mon âge, me faire adopter l'enfant du péché! gémissait la vieille demoiselle.

— Voilà, ma chère sœur, la première occasion que tu aies eue dans ta vie de te rendre vraiment utile.

— Ingrat!

Mais la peur de voir son frère déménager... « il ne se rend pas compte; il en mourrait, ce pauvre abbé... », la fit capituler.

Tout aussi étonnante, et fort admirable, fut l'attitude de Mlle Asnais. Après avoir touché le fond du désespoir, et passé plusieurs semaines dans un état de prostration qui ne manqua pas d'inquiéter son entourage, Marie-Françoise, un matin, prit sa plume et envoya à Loulou une lettre, trois fois recommencée, qui était un chef-d'œuvre d'abnégation. Elle regrettait le mouvement de violence qu'elle avait eu lors de leur dernière rencontre;

elle comprenait, elle acceptait, elle pardonnait. Le douloureux événement (ainsi désignait-elle la grossesse de la bonne) n'était peut-être qu'une épreuve voulue par Dieu pour lui faire voir plus clair en elle-même et lui prouver à quel point ses sentiments envers Loulou étaient puissants et indéfectibles. Elle était prête à partager sa vie pour le meilleur et pour le pire; le pire étant arrivé, il ne pouvait plus venir maintenant que le meilleur. En un mot, elle ne voyait plus d'obstacle à leur union, et tout le style de la lettre prouvait que Marie-Françoise avait beaucoup lu les ouvrages du chanoine.

Si bien que rien ne fut épargné à la comtesse de Mondez; elle s'aperçut, trop tard, que la malheureuse initiative qu'elle avait prise « au nom de la morale » en conviant la jeune fille chez Castelmuro, outre le résultat très inattendu d'avoir fait découvrir sa liaison avec M. de Saint-Flon, avait en plus donné corps à un projet à peine esquissé, et n'avait servi qu'à précipiter ce qu'elle voulait empêcher. Marie-Françoise se conduisait maintenant comme si elle eût été officieusement fiancée.

Le chanoine, consulté par sa nièce qui, désormais, ne se sentait plus très sûre d'elle-même, n'éleva pas d'objection.

— Mais enfin, mon oncle, une fille de marchands d'huile!

— Avec cet enfant dans la maison, au su et au vu de tous, crois-tu que ton fils puisse espérer beaucoup mieux? Je trouve même que c'est une grande chance pour lui. Il m'a montré une lettre d'elle. Cette petite écrit fort bien.

Quant à Vladimir, il se désintéressait complètement de la question.

— Loulou est majeur, qu'il fasse ce qu'il veut. Je préviens simplement que je ne lui donnerai pas un sou.

Loulou, emporté par les événements, et persuadé maintenant d'avoir été amoureux de Mlle Asnais dès leur première rencontre, affirma que ce mariage comblait ses plus chers désirs.

De son côté, Marie-Françoise avait longuement démontré à sa famille (car l'affaire de l'enfant, forcément, s'était ébruitée) que les bâtards étaient une tradition dans les familles de la noblesse. Il n'y avait que les croquants pour s'en formaliser. Il était bien connu que Louis XIV avait eu des enfants naturels, tout ainsi que Charles Quint et bien d'autres.

Au bout du compte, après un bon mois de lutte, M. Asnais donna son consentement.

— Après tout, je n'ai qu'une fille, ce n'est pas pour qu'elle soit malheureuse; ou au moins qu'elle le soit à sa guise, déclara-t-il. Sois donc comtesse de Mondez, ma petite fille, puisque c'est cela qui te fait plaisir.

On fixa le mariage à la fin novembre, pour que six semaines au moins fussent écoulées après la naissance de l'enfant. Mais Térésa avait dû se tromper dans ses calculs car, si grosse qu'elle fût, aux derniers jours d'octobre, elle n'avait pas encore accouché. On craignit fort qu'elle ne poussât l'indélicatesse jusqu'à choisir juste le matin de la cérémonie pour mettre bas. On vivait dans les transes. Mlle de Mondez l'interrogeait dix fois par jour pour lui demander si elle n'éprouvait pas les premiers signes de la délivrance.

Grâce à Dieu, ces signes apparurent une bonne quinzaine avant la date fixée pour le thé de contrat. On envoya aussitôt quérir Mme Belmont, une sage-femme octogénaire, qui avait noué le nombril de l'oncle Louis, tué aux Dardanelles, de Vladimir, et de Loulou lui-même. Pas un instant on n'envisagea de transporter Térésa dans une clinique.

— Tous les Mondez sont nés sous leurs toits, avait déclaré Vladimir, alliant comme toujours l'honneur des traditions à l'avarice.

Et Térésa mit au monde, dans la mansarde du troisième étage, un gros garçon déjà noiraud, aux jambes courtes, mais aux épaules larges et qui, dans l'instant de son premier cri, ressemblait tout à fait à son grand-père, le cordonnier de Calvi.

On lui chercha un prénom qui fût dans la famille Mondez, sans avoir été porté trop récemment; on trouva Ange qui n'avait pas été donné « depuis la fin de l'autre siècle », dit le chanoine, ce qui voulait dire pour lui le xviiie; le dernier Ange de Mondez avait été, en effet, guillotiné sous la Révolution.

Térésa eût voulu appeler son fils Napoléon; on lui fit la concession qu'il porterait ce prénom en quatrième.

Ange-Aimé-Vladimir-Napoléon de Mondez (la mère ayant été déclarée inconnue et les formalités d'adoption réglées aussitôt la naissance) fut baptisé dans le bureau du chanoine, par son grand-oncle, en présence de toute la famille, Mme Alexandre, la concierge, ayant été requise pour marraine, et le comte Vladimir étant parrain.

— Vous savez, Monsieur le comte, que le parrain fait toujours un cadeau à sa commère, dit Mme Alexandre.

— Ah oui... fit Vladimir.

Il chercha quelque chose qui pût ne rien lui coûter.

— Eh bien, dit-il, désormais, je ne jetterai plus mes poussières dans la cour.

*
* *

Les employés de la Société du Grand Egout Collecteur avaient été priés d'abandonner pour la journée les salons du rez-de-chaussée, où étaient installés leurs bureaux, afin que les Mondez puissent y donner la réception du thé de contrat. Les nettoyeurs étaient venus le matin, et les sœurs Cadet avaient été chargées du buffet. On attendait facilement quatre cents personnes.

— Prévoyons largement, avait dit Mlle de Mondez. Avec ce scandale qu'a déclenché Vlad (car, maintenant, c'était Vladimir qu'elle tenait pour responsable), tout le monde va venir, pour nous regarder.

Tandis que la maison résonnait des derniers préparatifs, qu'on descendait des chaises, qu'on les remontait s'étant aperçu qu'elles avaient un pied cassé, tandis que les extras enfilaient dans la cuisine leurs habits noirs trop étroits et que les sœurs Cadet dirigeaient le déballage des petits fours, le chanoine, dans son cabinet, songeait au discours qu'il devrait prononcer, le surlendemain, en célébrant le mariage de Loulou. Il n'aimait pas être pris de court. Mieux valait y penser dès maintenant, et même déjà noter les principales idées.

Il prit le dernier faire-part qu'il avait reçu... « Tiens,

c'est mon marchand de papier de la rue de Rome; il
était bien gentil, le pauvre homme... » et commença
à écrire au dos :

« *Primo: ainsi mon grand âge aura encore eu cette
joie de bénir une union si bien assortie, etc.; secundo:
vous, Mademoiselle, etc., éloge de la jeune fille et de
sa famille...* »

« Qu'est-ce que je peux bien dire sur ces gens-là? se
demanda-t-il. A moins que je ne commence par le
jeune homme... »

Là, ce n'était pas difficile. « *Toi, mon cher enfant,
que j'ai vu grandir sous mes yeux et faire chaque année
davantage le bonheur de ta famille...* » Suivrait d'un ton
modeste une remontée à travers le temps jusqu'aux
Croisades, en passant par la turbulence d'un noble
sang polonais... « Habile, habile, cette allusion à la
turbulence du sang!... Mais la jeune fille, qu'est-ce que
je peux bien en dire? Ils sont marchands d'huile...
Ah! les Phocéens. *Pareil aux lointains Phocéens dont
il descend, Monsieur votre père a conquis dans les hautes
sphères du négoce...* Mais au fond, pourquoi l'épouse-
t-elle? »

Il se leva, rêveur, et, déployant sa soutane, se mit
à composer l'étrange discours qu'il aurait dû faire, si
l'on pouvait vraiment prononcer ce que l'on pense.

« Vous, Mademoiselle, ma pauvre petite demoiselle,
vous épousez une adresse, une façade, un hôtel, un
titre, une illusion. Vous croyez aimer un homme, vous
aimez un vieux reflet d'autrefois, qu'il porte et qui
vous fascine. Vous allez entrer dans une famille pleine
de poussière, où nous sommes tous un peu fous, vous
savez, derrière nos apparences de traditions, ou à

cause de ces traditions mêmes qui nous compriment
la tête. Vous avez les joues roses, tout émaillées d'une
bonne santé plébéienne; vous vous apercevrez bientôt
que votre mari n'est ni robuste, ni intelligent, ni agréable à vivre, en un mot qu'il n'était pas fait pour vous.
Vous supporterez quelque temps votre erreur, et puis
vous vous lasserez des Allées, et vous irez le tromper
l'après-midi avec un M. de Saint-Flon quelconque...
et tout va recommencer. Tout ce à quoi j'ai assisté
pendant vingt-cinq ans, sans oser rien dire... »

Le chanoine s'arrêta brusquement de marcher .

« Eh bien, non, pensa-t-il, je ne pourrai pas encore
le dire après-demain... Revenons à l'éloge du négoce,
des bons exemples reçus... Voyons, qu'est-ce que
j'avais dit lorsque j'ai marié Vlad et Minnie? Pour
elle, j'avais fait l'apologie de la justice, à cause de
son père, le magistrat. Il était très bien, d'ailleurs, ce
discours; il avait eu beaucoup de succès. Je n'ai qu'à
le reprendre en le démarquant un peu... il y a vingt-
cinq ans, on a oublié... Et puisque tout va recommencer... »

Il ouvrit l'armoire Renaissance, grimpa sur le petit
escabeau, et commença de fouiller parmi les manuscrits
poisseux de la Dispersion des reliques de saint Ferréol
et des Faïences du marquis de Pigusse. « Je suis sûr
que je l'ai rangé là, il y a vingt-cinq ans. » Soudain,
ses doigts rencontrèrent, sous un amas de paperasses,
un objet dur, cylindrique, qui n'avait rien de commun
avec son pot de miel. Il le sortit à la lumière; c'était
le bracelet de Minnie.

« Comment diable se trouve-t-il là? » se demanda
le chanoine.

Et puis, il se rappela. La veille du jour malheureux où la disparition de ce bracelet avait entraîné une cascade de drames, Minnie était venue prendre le miel dans l'armoire, pour sucrer sa tisane nocturne. Le bracelet lui avait glissé du poignet... Et lui-même le lendemain, ne trouvant pas le récipient, avait, sans s'en douter, enfoui le bijou sous le tourneboulis de papiers...

Le chanoine de Mondez fut alors saisi du plus grand accès de rire qu'il ait eu depuis le temps lointain des farces de séminaire. Il avait beau se répéter : « Ce n'est pas drôle, ce n'est vraiment pas drôle... », il ne pouvait s'empêcher de pouffer, tout seul, dans son bureau.

Il riait encore en ouvrant la porte, pour aller annoncer sa découverte, lorsque sa sœur passa, dans une robe noire trop courte, en lui criant :

— Augustin, à quoi penses-tu, mon ami? Tu devrais être en bas. Nos invités arrivent. Vlad non plus n'est pas là. J'espère que tu as mis ta soutane neuve.

Il cacha aussitôt l'objet derrière son dos, referma la porte, et resta un moment à regarder le plafond. Puis il chercha un vieux papier de soie, y empaqueta le bracelet, mit un élastique autour, et fourra le tout dans sa poche.

Il descendit quelques minutes plus tard, alors que le grand salon, qu'il n'avait pas vu ouvert depuis des années, commençait à s'emplir. « Oh! mon Dieu, pensa le chanoine avec attendrissement, c'est tout à fait comme du temps de maman. »

Un aboyeur se tenait à la porte et criait, avec un magnifique accent de Provence :

— Monsieur le comte et madame la comtesse de

Garousse... Madame Cristoforos... Monsieur le chevalier d'Estel de la Palanque... Monsieur le docteur Caroubet... Monsieur le Préfet...

Mme Danselme fit, en saluant Minnie, une gaffe volontaire et soigneusement préparée :

— Vous avez toutes les grosses huiles, aujourd'hui...

On mangeait du bout des dents les sandwiches de Castelmuro. Sur une grande console, couverte d'un tapis, les cadeaux de mariage étaient exposés, avec les cartes de visite des donateurs.

Loulou, engoncé dans un col dur, rasé jusqu'au sang, remerciait à chaque félicitation. Marie-Françoise, tout en rose, depuis les joues jusqu'au bout de ses chaussures de satin, éclatait de joie et embrassait tout le monde.

Le chanoine vint à elle et, devant Aimée et Minnie stupéfaites, lui donna le bracelet en disant :

— Voilà mon présent, ma chère enfant. C'est un bijou de famille, qui nous vient de notre grand-mère.

A ce moment, quelques vagissements s'élevèrent sous la voûte d'entrée. Les regards de toute l'assistance se portèrent de ce côté, et l'on vit le comte Vladimir de Mondez qui sortait, poussant, dans un vieux landau qu'il avait fait descendre du grenier, l'enfant de Térésa.

Comme il y avait un souffle de mistral, le comte Vladimir avait mis sa pelisse, un vêtement extraordinaire, dont trois générations s'étaient servies, en drap noir épais comme du cuir, à brandebourgs, fourré de loutre, et qui lui tombait jusqu'aux pieds. Tout ce qui lui restait de l'héritage polonais.

Pendant une heure d'horloge, le comte de Mondez

arpenta ainsi les Allées, faisant accomplir à son petit-fils sa première promenade, au nez de toute la bonne société marseillaise. M. de Saint-Flon passa, marchant sur l'autre trottoir; ils se saluèrent.

Versailles, février 1956.

FIN

TABLE DES MATIÈRES

ACHEVÉ D'IMPRIMER LE 26 JANVIER 1962 SUR LES PRESSES DE L'IMPRIMERIE FIRMIN-DIDOT AU MESNIL (EURE) POUR RENÉ JULLIARD ÉDITEUR A PARIS — Nº D'ÉDITEUR : 2575. — Dépôt légal 1er trimestre. 1962 — 9533.